W9-APD-066

Macmillan/McGraw-Hill LECTURA

Contributors

The Princeton Review, Time Magazine, Accelerated Reader

The Princeton Review is not
affiliated with Princeton
University or ETS.

learning through listening

Students with print disabilities may be eligible to obtain an accessible, audio version
of the pupil edition of this textbook. Please call Recording for the Blind & Dyslexic at
1-800-221-4792 for complete information.

**Macmillan
McGraw-Hill**

Published by Macmillan/McGraw-Hill, of McGraw-Hill Education, a division of The McGraw-Hill Companies, Inc.,
Two Penn Plaza, New York, New York 10121.

Printed in the United States of America

ISBN 0-02-191692-6/1, BK. 5

2 3 4 5 6 7 8 9 071/043 09 08 07 06

Macmillan/McGraw-Hill LECTURA

Autores

María M. Acosta

Kathy Escamilla

Jan E. Hasbrouck

Juan Ramón Lira

Sylvia Cavazos Peña

Josefina Villamil Tinajero

Robert A. DeVillar

¡Adivina, adivinador!

¡Adelante!

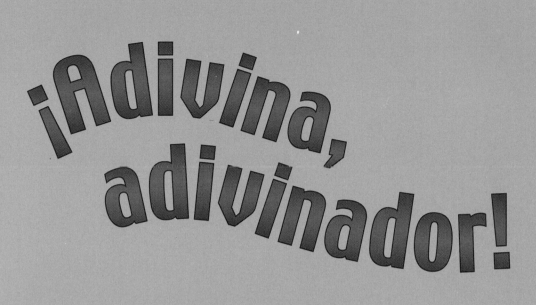

Vocal

Soy un palito
muy derechito
y encima de la frente
tengo un mosquito.

Tradicional

(La i)

Ronda

Maúlla el gato.
El perro ladra.
La abeja zumba.
Croa la rana.
Ulula el búho.
El pato parpa.
El mono chilla.
El cuervo grazna.

El león ruge.
El loro garla.
Aúlla el lobo.
La oveja bala.
La vaca muge.
El toro brama.
El pollo pía.
El gallo canta.

David Chericián

Relajo en la cocina

Adelita Artola Allen
ilustraciones de Ruth A. Rodríguez León

Conozcamos a Adelita Artola Allen

Adelita, la autora de este cuento, nació en Nueva York. Ha organizado talleres de creación literaria y cursos de lectura para niños. Ahora trabaja en educación bilingüe en Tucson, Arizona.

Conozcamos a Ruth Araceli Rodríguez León

Ruth realizó estudios universitarios en la Ciudad de México. Es autora de numerosas ilustraciones de libros para niños y se dedica al grabado en metal y la pintura en óleo.

Un día fui al mercado
y cuando volví,
con mucho pesar
un relajo ante mis ojos vi.

Estaba...

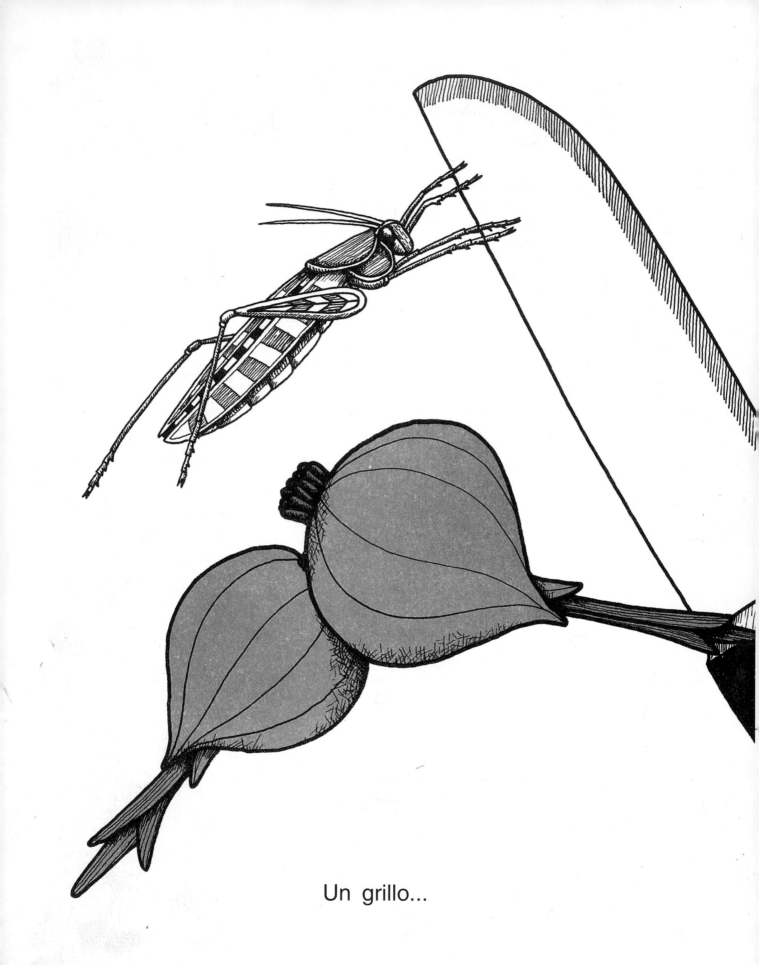

Un grillo...

en el cuchillo.

Un ratón...

en el cajón.

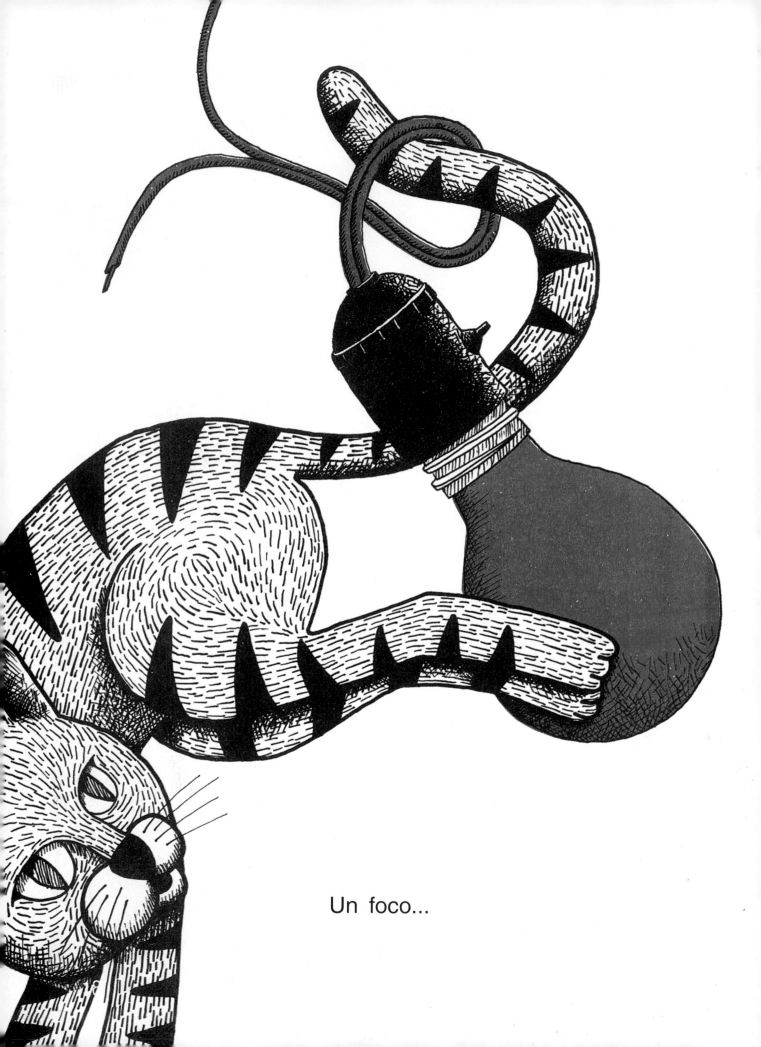

Un foco...

en el coco.

Un gato...

en el plato.

Una manzana...

en la ventana.

Una muela...

en la cazuela.

Una olla...

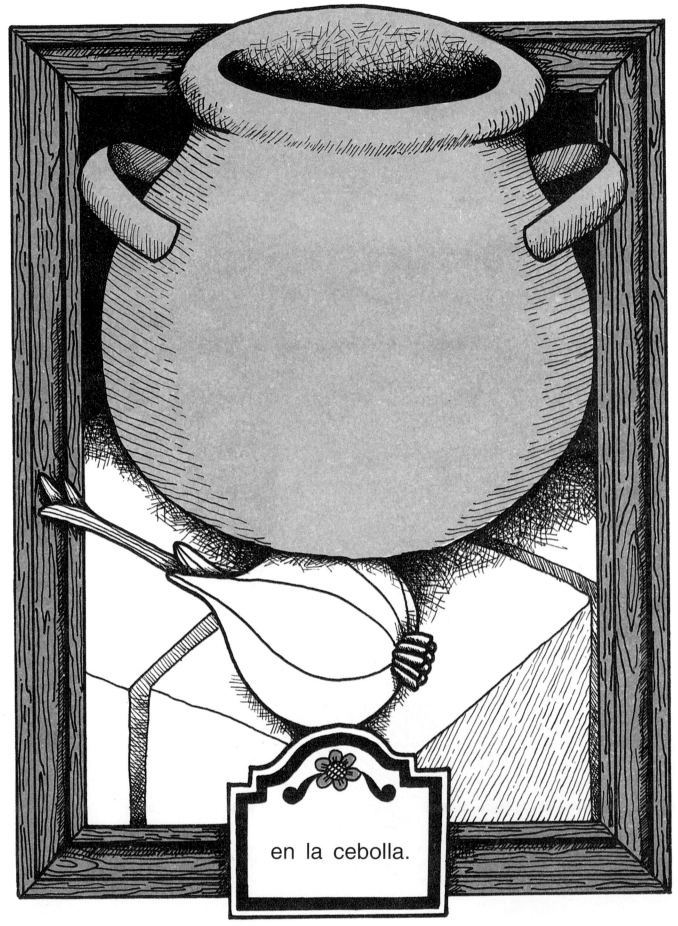

en la cebolla.

Un hueso...

en el queso.

Un anillo...

en el rodillo.

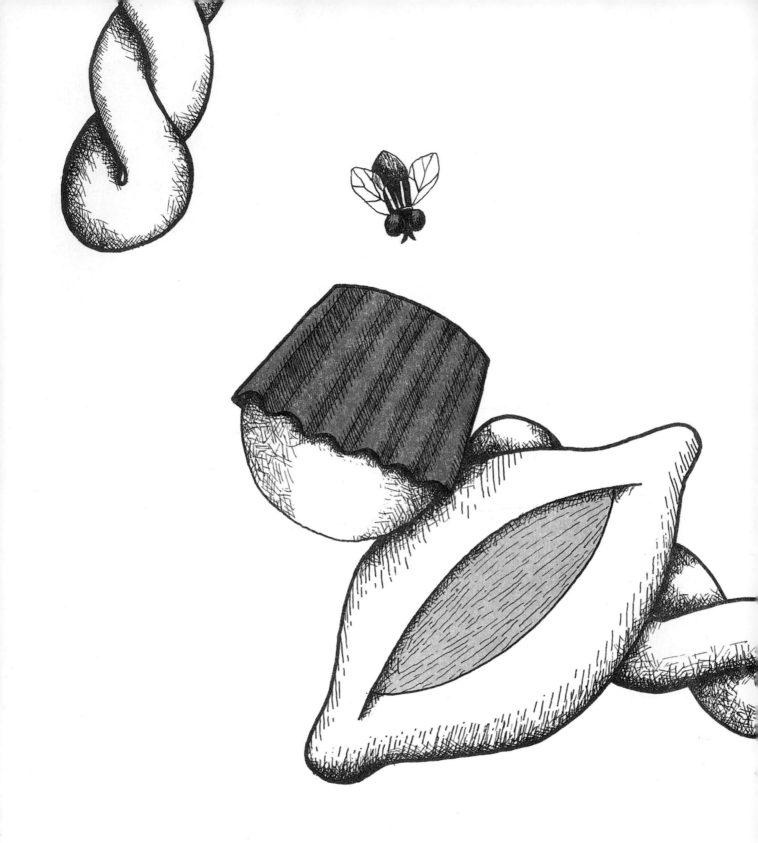

Una mosca...

en la rosca.

Una calabaza...

en la taza.

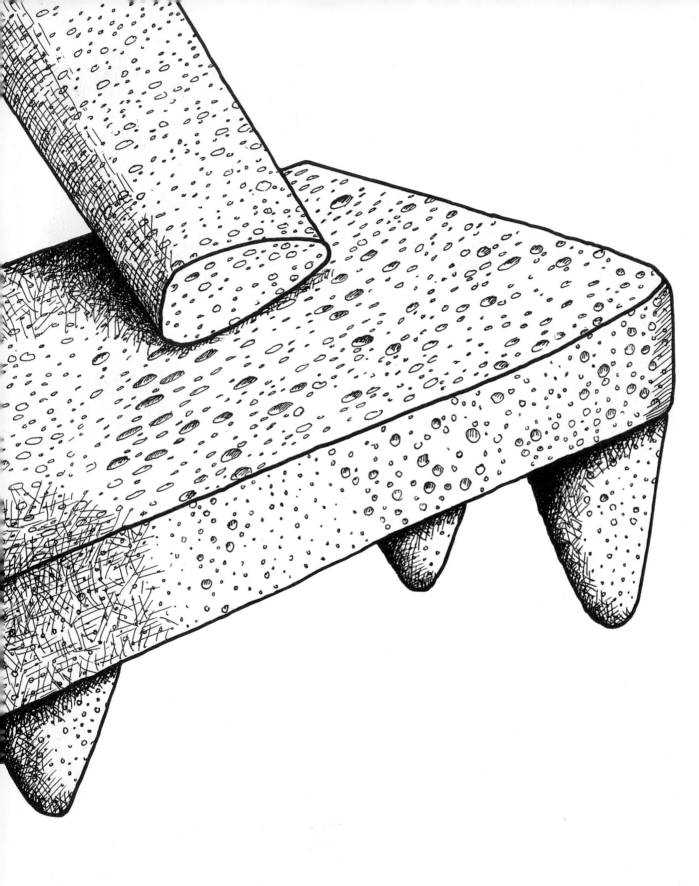

Un metate...

en el tomate,

y una ardilla...

en la tortilla.

39

Ante tal desastre
me serví de la amistad
de la comunidad
que me ayudó
a poner todo en su lugar.

Preguntas y actividades

1. ¿Qué pasa en la cocina de Adelita?

2. ¿Por qué pide ayuda? ¿Le gusta el desorden?

3. ¿Se enoja tu mamá cuando ve desorden?

4. ¿Qué cosas encontró Adelita en su cocina?

5. ¿Te acuerdas en qué otro cuento había rimas?

Escribe una rima

En este cuento hay un montón de rimas: grillo con cuchillo, ratón con cajón, foco con coco, etc. Inventa otra rima que vaya con la idea de *Relajo en la cocina*. No te olvides de ilustrarla como si fuera parte del cuento.

El juego del sí o no

Piensa en alguna cosa que pueda haber en una cocina. Diles a tus compañeros que te hagan preguntas sobre esa cosa para que tú respondas con un sí o un no. Por ejemplo: ¿Suena? ¿Es sabrosa? ¿Tiene buen olor? ¿Es suave o áspera? ¿Cuántas preguntas te han hecho antes de adivinar?

¿Es salada?

¿Cómo huele?

Investiga

Los refrigeradores no han existido siempre. ¿Qué se usaba antes para que la comida no se descompusiera?

DESTREZAS DE ESTUDIO

LECTURA COMPARTIDA

Palabras de un diccionario

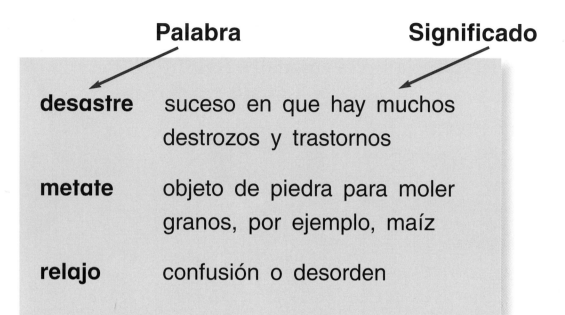

Palabra   **Significado**

desastre   suceso en que hay muchos destrozos y trastornos

metate   objeto de piedra para moler granos, por ejemplo, maíz

relajo   confusión o desorden

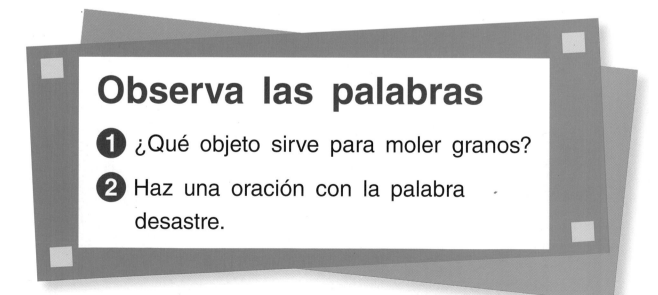

Observa las palabras

1 ¿Qué objeto sirve para moler granos?

2 Haz una oración con la palabra desastre.

Salsa

Wanda hizo salsa.
Siguió esta receta.

3 tomates maduros <u>picaditos</u>

1 <u>cebolla</u> grande picada

1 taza de jugo de limón

1 <u>diente</u> de ajo picado

Pon los ingredientes en un plato hondo.

Mezcla todo bien. Agrega sal y pimienta.

Para poder contestar la pregunta, piensa: ¿Qué haría yo ahora?

Wanda siguió las indicaciones.

Pronto estuvo lista la salsa.

Wanda la sirvió.

La puso en la mesa con unas tortillas.

¿Qué va a pasar ahora?

○ Wanda va a comer la salsa.

○ Wanda va a poner la cebolla en un plato.

Cielo con lágrimas

El cielo tiene ganas de llorar.
Ya caen sus primeras
lagrimitas de cristal.
¿Por qué está triste el cielo?
¿Qué le pasará?
Para que se alegre
vamos a cantar.

María Hortensia Lacau

Conozcamos a Aída E. Marcuse

Aída vive en Estados Unidos, pero nació en Uruguay. Tiene mucha imaginación y le encanta conversar con los niños a través de sus cuentos.

Conozcamos a Patrick Girouard

Patrick vive en Indiana y, además de dibujar y pintar, le gusta jugar con sus hijos Marc y Max a orillas de un gran lago.

Shhhh...
es de noche

Aída Marcuse

ilustraciones de Patrick Girouard

Detrás de la cerca:
—¡Baaaa! —bala la oveja—,
¡algo se ha metido
dentro de mi oreja!

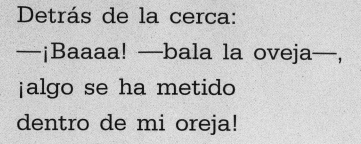

—¡Muuu! —muge la vaca—,
te lo sacaré.
—¡No quiero tu pata,
pues me hará doler!

Los cuatro patitos
se acercan también.
—¡No quiero sus picos,
pues me harán doler!

La oveja creía
que una pulga tenía,
pero era un gusano
que en su oreja dormía.

Se rasca la oveja
por fin, sin cuidado.
El gusano en la oreja
despierta, asustado...

y se marcha a otro lado
a dormir tranquilo.

La oveja se duerme,
la vaca se ha ido.
El gusano duerme,
los patos se han ido.

La noche se duerme,
que nadie haga ruido.

Preguntas y actividades

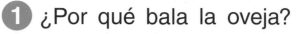

1. ¿Por qué bala la oveja?

2. ¿Qué animales quieren ayudarla?

3. ¿Pides ayuda a tus amigos cuando la necesitas?

4. ¿Puedes contar este cuento con tus propias palabras?

5. ¿En qué cuento piden ayuda los personajes?

Escribe un chiste

Seguro que alguna vez te ha pasado algo divertido. Escríbelo. Si tus compañeros se ríen, será un buen chiste.

La oveja tenía un problema.

66

Dibuja un animal divertido

¿Te imaginas una vaca con alas?
Piensa en un animal fantástico y
dibújalo.

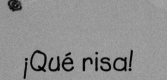

¡Qué risa!

Investiga

En las granjas hay muchas
clases de animales.
Busca otros que no estén
en el poema y averigua
si son útiles.

Boletín de noticias

——— Diario Rural ———

Miércoles, 17 de agosto de 2005

Un insecto molesta a una oveja

por Hada Sánchez

Ayer entró un gusano en la oreja de una oveja.

El insecto salió, pero pasó la noche en el ojo del caballo.

"Me dijo un secreto", dijo la oveja.

Leer el boletín

1 ¿Cuándo entró el gusano en la oreja?

2 ¿Dónde pasó la noche el gusano?

Irene y su palo

Irene es una perra que tiene dos años.

A Irene le gusta jugar.

Ella juega con un palo.

El dueño de Irene le arroja el palo.

Irene corre y lo trae de vuelta.

Ella juega muchas horas.

Irene le habla al palo mientras juega.

—Guau, guau, guau —le ladra.

—Grrr, grrr, grrr —le gruñe.

—Brrr, brrr, brrr —protesta.

Sólo Irene entiende lo que dice.

> Si lees el cuento con atención, es más fácil contestar las preguntas.

La próxima vez que el dueño arroje el palo —

○ Es posible que Irene duerma una siesta.

○ Es posible que Irene corra para agarrarlo.

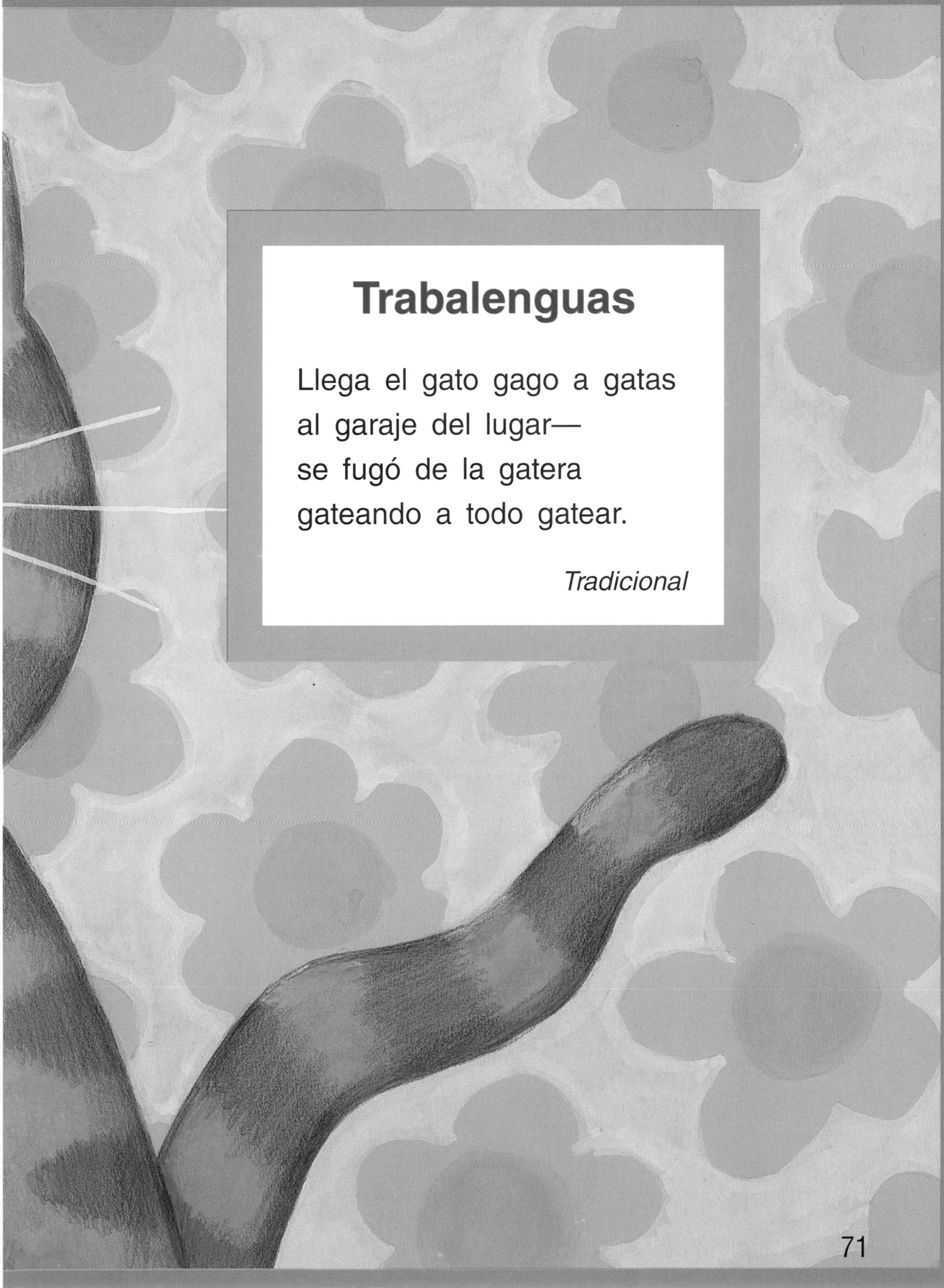

Trabalenguas

Llega el gato gago a gatas
al garaje del lugar—
se fugó de la gatera
gateando a todo gatear.

Tradicional

**Conozcamos a
Margarita Robleda Moguel**
Margarita se define como "Doctora en Cosquillas y Besos de Rana" porque le gusta hacer cosquillas a los niños a través de sus cuentos.

**Conozcamos a
Maribel Suárez**
A Maribel le encanta dibujar animalitos. ¿Recuerdas los dibujos de *El gato de las mil narices*? Ahora el protagonista del cuento es Pulgas, el perrito. ¿Qué animalito te gusta más?

PULGAS, EL PERRO DE JOSÉ LUIS

Margarita Robleda Moguel

ilustraciones de Maribel Suárez

73

José Luis llamó Pulgas al
perro que vivía en su casa...

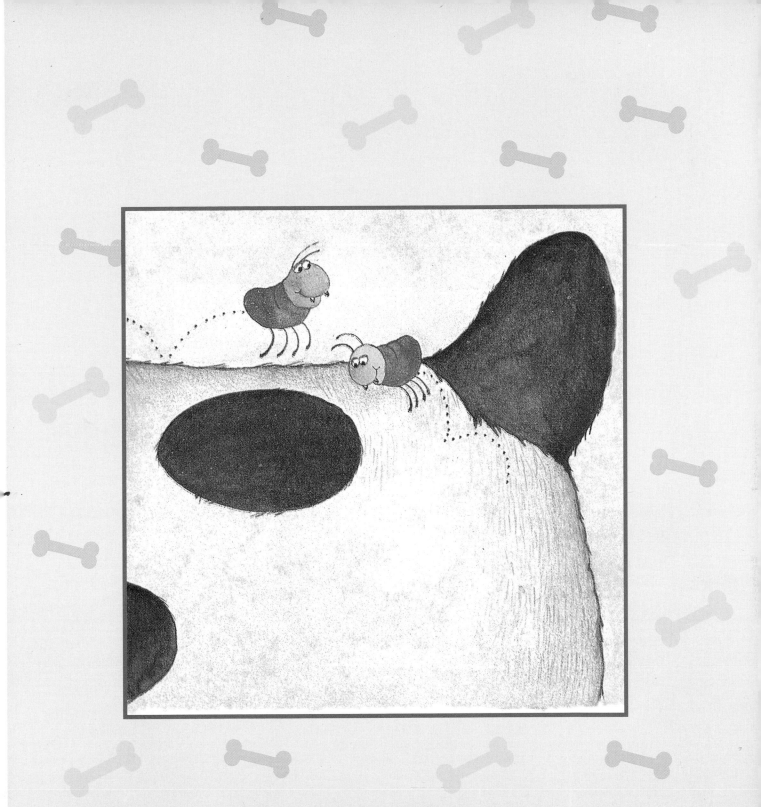

y Perros a las pulgas que
habitaban en el perro.

Perros y Pulgas, pulgas y perro,
vivían muy contentos en la casa
de José Luis.

Hasta que un día, Perros picaron
a José Luis y a éste, le salió una
ronchota enorme.

Su mamá decidió, enojadísima, que
no quería más pulgas en su casa.

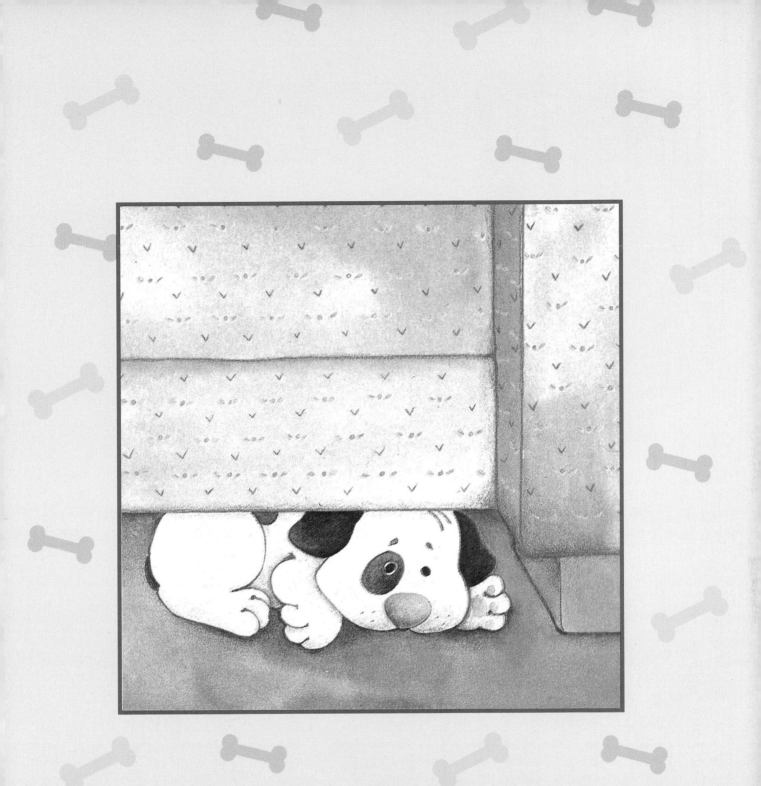

Pulgas, al escuchar esto, corrió
a esconderse debajo del sofá.

José Luis lloraba llamando a Pulgas.

Su mamá lo quería consolar diciendo:

—Sí me gustan los perros, lo que no quiero son pulgas.

Perros, encantadas,
brincaban de puro gusto.

Pulgas lloraba quedito,
enroscado debajo del sofá.

José Luis le pedía a su mamá:

—¡No te lleves a mi Pulgas!

—¿Cómo? —preguntó la mamá
asombrada—. ¿Te gustan las pulgas?

—No me gustan las pulgas —lloraba
José Luis—, quiero a Pulgas.

—Pero las pulgas pican
—insistía la mamá.

—No —dijo José Luis—, Pulgas ladra.
Mira: "Pulgas, Pulgas" —llamó y Pulgas
salió de debajo del sofá.

A la mamá le dio mucha risa todo el enredo, pero le explicó a José Luis que por alguna razón las cosas se llaman por su nombre y así podemos entendernos.

Imagínate —continuó— que un día le
cambies el nombre al plato por vaso y al
vaso por zapato...

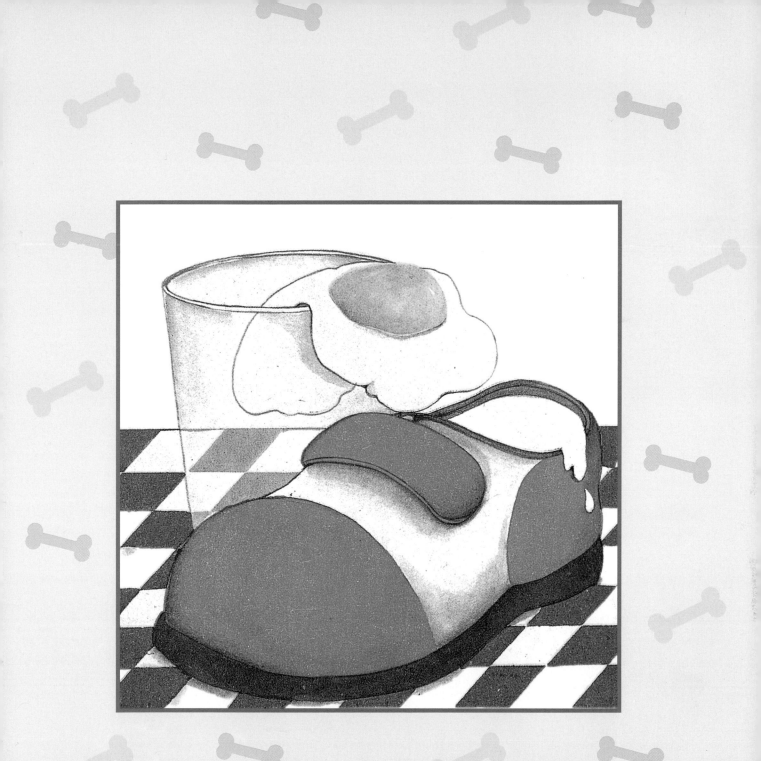

y si te digo: sírvete la leche en el vaso y
tu huevo estrellado en el plato...

Entonces José Luis comprendió que las cosas por algo se llaman como se llaman...

porque... ¿qué tal si un día a su mamá le
dice papá... y a ella le salen bigotes?

Preguntas y actividades

1 ¿Por qué estaban las pulgas tan contentas?

2 ¿Por qué se sorprende la mamá?

3 ¿Cómo son las pulgas? ¿Grandes o pequeñas?

4 ¿De qué trata este cuento?

5 ¿Se parece José Luis a Tomás de *¡Tomates para todos!*?

Escribe una historia al revés

Piensa en dos cosas relacionadas, como las pulgas y el perro. Dibújalas. Escribe una historia con los nombres cambiados.

Los zapatos se abrocharon el niño nuevo y salieron a jugar. A las dos horas, el niño apretaba los zapatos. Los zapatos se lo quitaron.

Haz un diagrama

Seguro que sabes mucho de perros. Dibuja el diagrama de un perro. Escribe el nombre de las partes de su cuerpo.

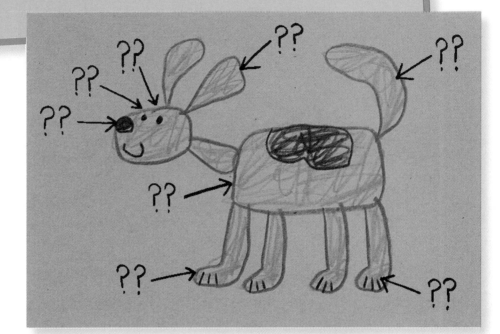

Investiga

Averigua al menos cinco razas distintas de perro. Compáralas entre sí.

ESTUDIO

Hacer una lista

Las listas sirven para recordar cosas.

José Luis debe recordar que tiene que:

1. Dar de comer a su perro.

2. Sacarlo a jugar y trabajar en el jardín.

3. Darle de beber mucha agua.

4. Acariciar a su perro a menudo.

5. Lavarse las manos después de jugar con él.

Mira la lista

1 ¿Qué más podría hacer José Luis?

2 ¿Cuándo le das de comer a tu mascota?

¿Con quién se encuentra el mapache?

Un mapache vivía junto al río.

Se llamaba Luis.

Tenía un nido cómodo.

Estaba hecho de hojas y hierbas.

Era calentito por la noche.

Un día Luis fue a caminar al lado del río.

Vio un caballo muy grande.

Luis le preguntó al caballo cómo se llamaba.

El caballo se llamaba Polo.

Luis habló con él horas y horas.

Al anochecer, Luis y Polo se despidieron.

¿Qué tenía Luis al final del día?

○ Dolor de barriga.

○ Un nuevo amigo.

¿Cuál es la mejor respuesta?

¿Saben qué le sucede a esa lombriz

¿Saben qué le sucede
a esa lombriz
que se siente infeliz, muy infeliz?
Pues no le pasa nada;
sólo que está resfriada
y no puede sonarse la nariz.

María Elena Walsh

Conozcamos a Margarita Robleda Moguel

Margarita es escritora, compositora y cantante. Le gustan el mar, las gaviotas y la ciudad de San Antonio, Texas, donde se educó.

Conozcamos a Maribel Suárez

Maribel se ha ganado el corazón de muchos niños del mundo con sus lindos dibujos.

Margarita Robleda Moguel

JUGANDO CON LA GEOMETRÍA

Ilustraciones de Maribel Suárez

Un círculo amarillo jugaba a
las maromas sobre una hoja
de papel.

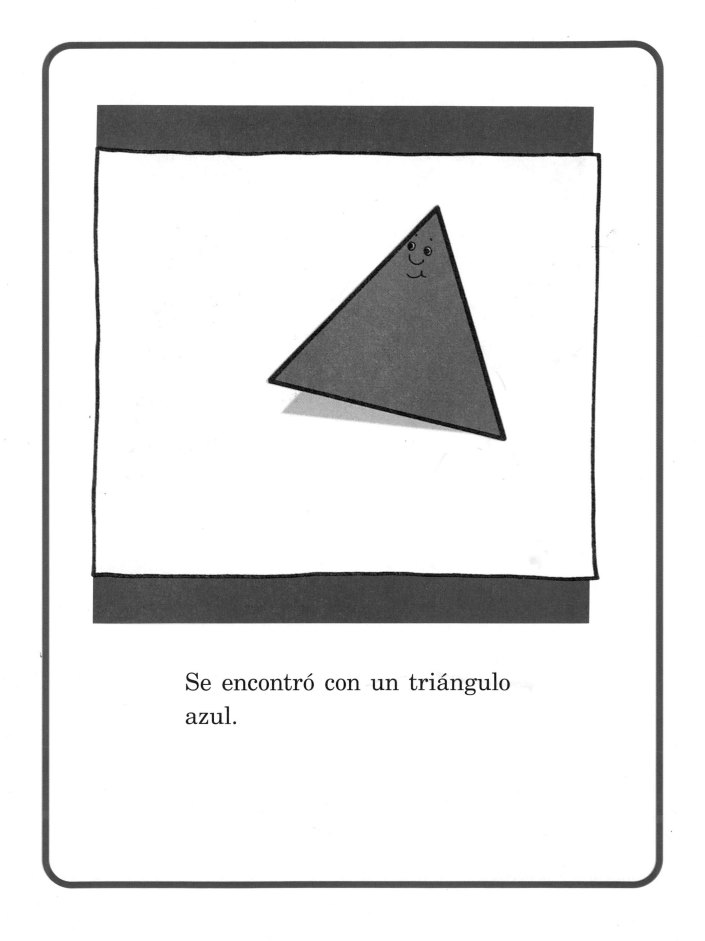

Se encontró con un triángulo
azul.

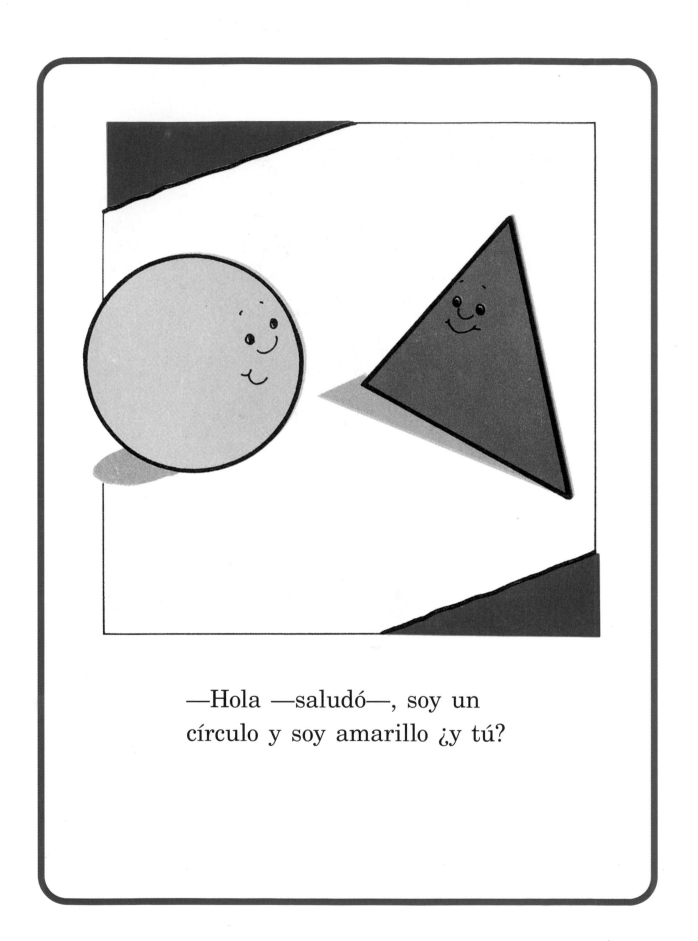

—Hola —saludó—, soy un
círculo y soy amarillo ¿y tú?

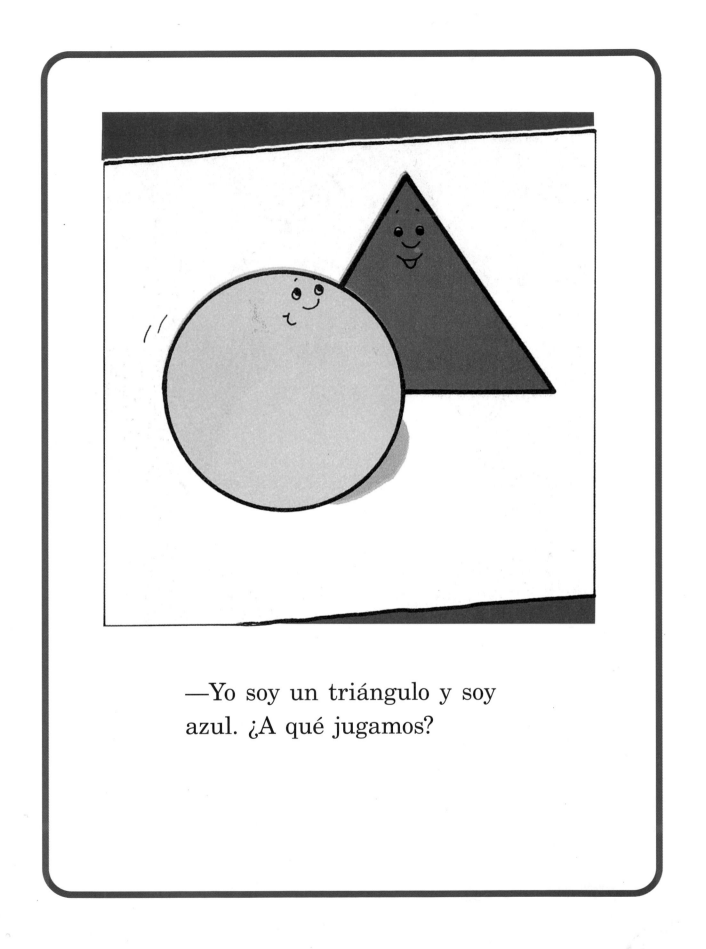

—Yo soy un triángulo y soy
azul. ¿A qué jugamos?

—Si te subes sobre mí...
—dijo el círculo—, podrías
ser mi sombrero.

—Si nos volteamos al revés
—dijo el triángulo—, seríamos
un helado de vainilla.

Llegó un rectángulo verde.
—¿Juego?

—¡Sí! —gritaron los dos
amigos.

—Si primero voy yo —dijo el
círculo—, encima el rectángulo y
después el triángulo... parecerá un
señor con un cohete en la cabeza.

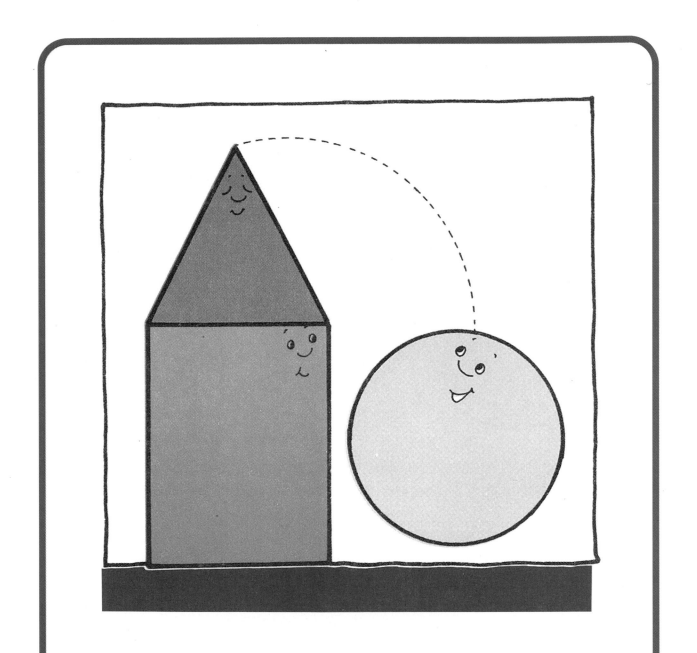

—Si yo comienzo —dijo el
rectángulo—, encima va el
triángulo y arriba el círculo,
parecerá...

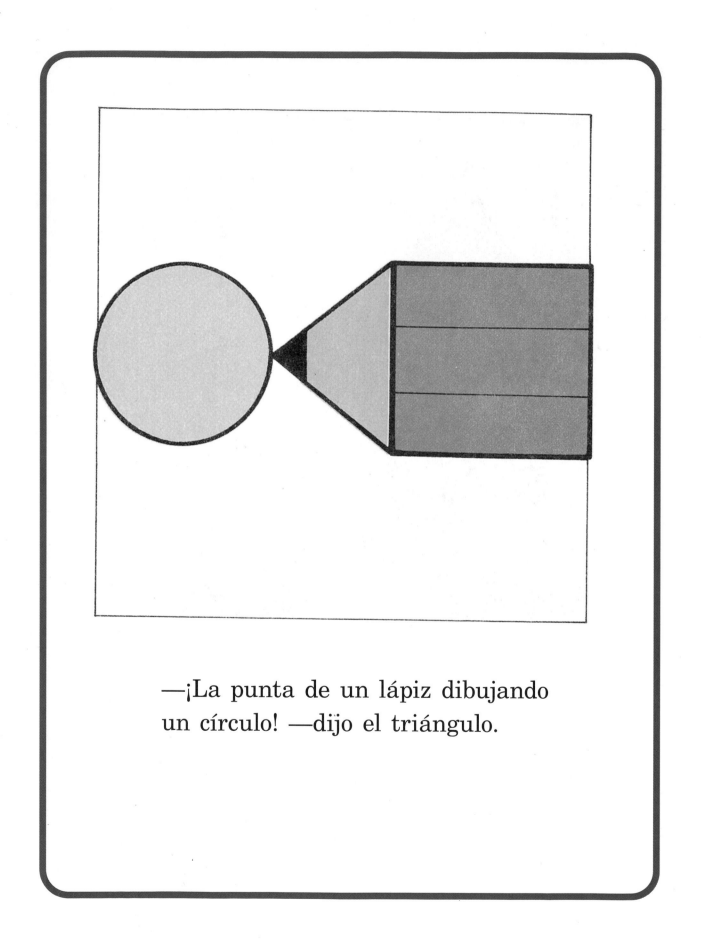

—¡La punta de un lápiz dibujando
un círculo! —dijo el triángulo.

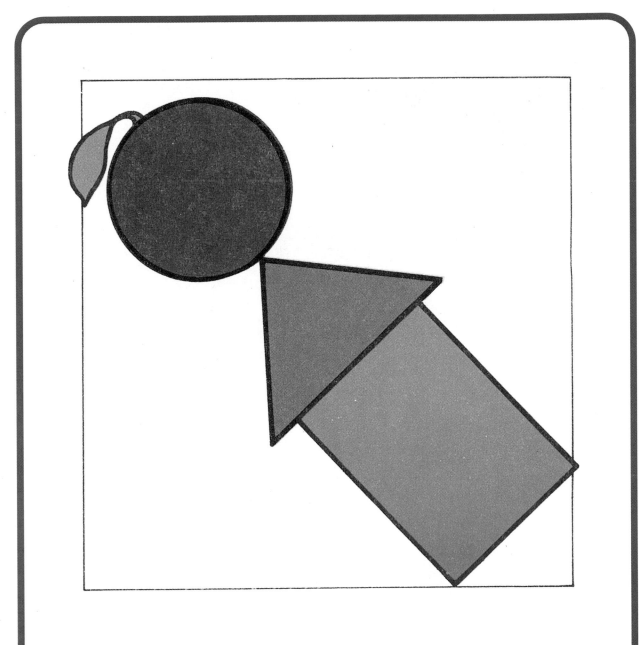

—Una flecha con cereza en
la punta —dijo el círculo.

En esas estaban, cuando llegaron
dos círculos con un triángulo
encima como si fuera una carroza.
—¿Jugamos?

El círculo amarillo se puso
de presumido y les dijo:

—Los círculos somos los más
importantes: estamos en el mundo,
en las ruedas, en las pelotas y en
las caras de los niños.

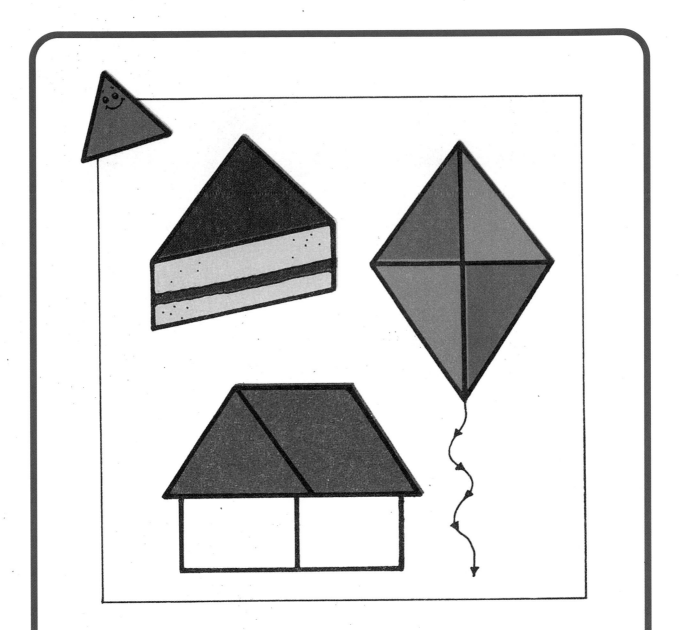

—Están muy equivocados —respondió el triángulo—, nosotros estamos en las rebanadas de pastel, en los papalotes y en los techos de las casas. ¿Qué harían sin nosotros?

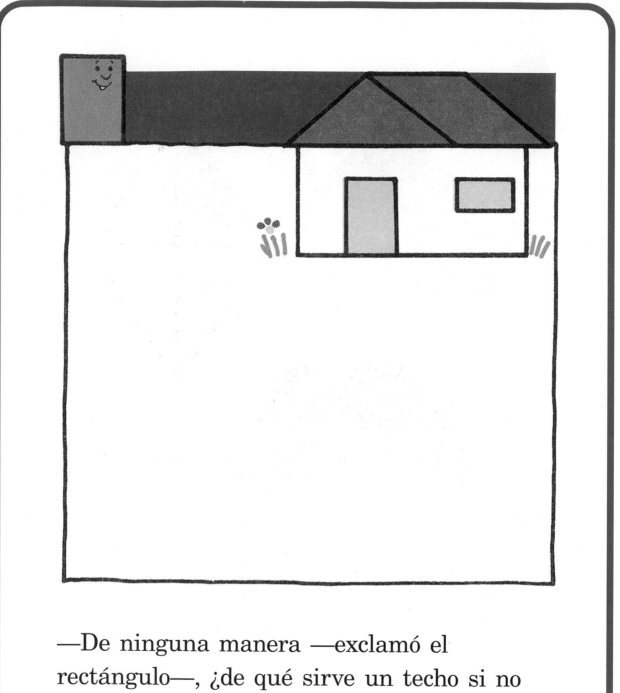

—De ninguna manera —exclamó el
rectángulo—, ¿de qué sirve un techo si no
tiene debajo un rectángulo que sea la casa?
¿Dónde estaríamos todos nosotros si no fuera
por esta hoja de papel que es como yo?

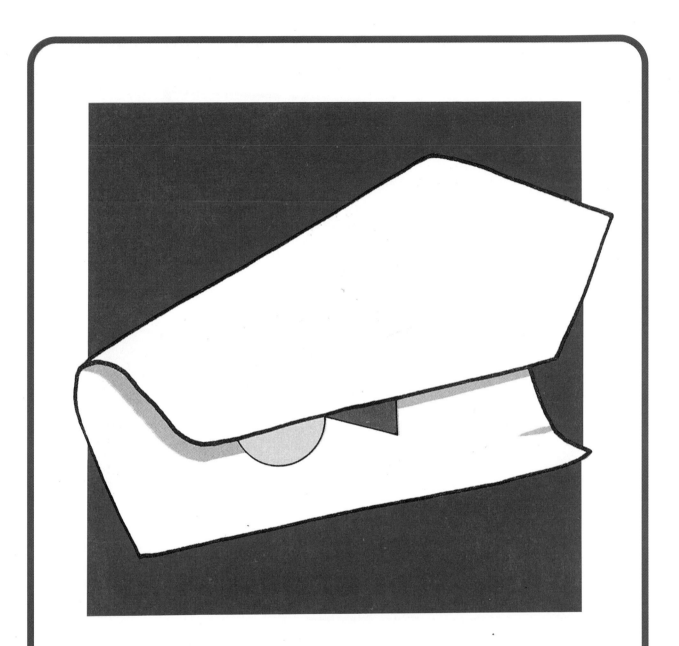

La hoja se enojó con tanto
escándalo, y envolvió a todos.

Cuando se abrió nuevamente, todos se habían mezclado. —Nadie es más importante que los demás —dijo la hoja—, simplemente somos diferentes, pero todos podemos ser útiles.

—Y si lo hacemos juntos...
además, nos podemos divertir
mucho.

Preguntas y actividades

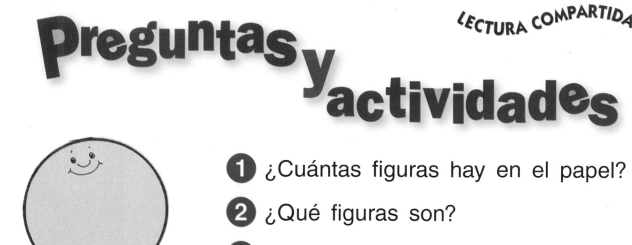

1. ¿Cuántas figuras hay en el papel?

2. ¿Qué figuras son?

3. ¿Puedes dibujar todas estas figuras?

4. ¿Qué dice cada una de las figuras?

5. ¿Podrías encontrar estas tres figuras en los otros cuentos?

Haz una redacción

Piensa en algo que una persona no pueda hacer sola.

Dibújalo. Explica el dibujo por escrito.

Otras personas lo ayudaron a llegar.

Haz un dibujo con figuras

Dibuja un auto o una casa con todas las figuras del cuento. Colorea cada clase de figura con un color distinto. ¿Cuántas hay de cada una?

Aquí hay varias figuras geométricas.

Investiga

Los cuerpos geométricos tienen figuras.
Busca algunos de estos cuerpos.
¿Cómo se llaman?
¿Cuántas figuras tienen?

pirámide

DESTREZAS DE ESTUDIO

Leer señales

Las señales hablan sin palabras.

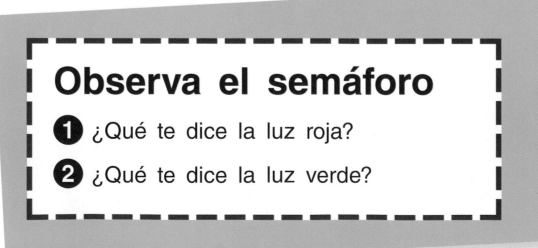

Observa el semáforo

1 ¿Qué te dice la luz roja?

2 ¿Qué te dice la luz verde?

Divertirse al sol

La playa es divertida.

Es divertido correr en la arena.

Las olas rompen en la orilla.

El agua fría nos moja los pies.

Ahora el sol se pone en el cielo.

El cielo está rosa, violeta y anaranjado.

La arena está fría.

Es hora de volver a casa.

En este cuento la playa es —

○ un lugar para divertirse.

○ un lugar demasiado frío.

¿Cuál es la mejor respuesta?

125

El día

Desde los cerros viene a galope
el luminoso caballo blanco.

Tiene las crines de llamaradas
y cuatro estrellas bajo los cascos.

Mientras galopa por los caminos
todo despierta sobre los campos.

En sus relinchos canta la vida
y en sus tendones vibra el trabajo.

Niño que quieres ganar el mundo
monta este alegre caballo blanco.

Oscar Alfaro

TIME

FOR KIDS

INTERNATIONAL

Animales nocturnos

Cuando tú te duermes, muchos animales se despiertan. Descansan de día. Su día comienza de noche. La lechuza va a ver si hay algo para comer. ¡Atención! Hay una rata. La lechuza no puede ver a la rata ni olerla, pero la escucha. ¡La lechuza levanta el vuelo! ¿Alcanzará a la rata?

129

También el murciélago usa el oído para cazar de noche. El murciélago tiene alas, pero no es un pájaro. El murciélago es el único mamífero que vuela. Parece una rata con alas. A algunos murciélagos les gusta comer insectos.

INVESTIGA

Visita nuestra página web:

www.mhschool.com/

CONEXIÓN

*inter***NET**

Basado en un artículo de TIME FOR KIDS.

Las serpientes pueden sentir mucho calor con el sol. A ellas les gusta el fresco de la noche.

Hay muchos animales nocturnos a nuestro alrededor. No todos son salvajes.

A algunos animales les gusta dormir de día y andar de noche. Cuando te vayas a la cama, mira a tu mascota. ¿Es tu mascota un animal nocturno?

131

Preguntas y actividades

1 ¿Cómo consiguen la lechuza y el murciélago sus alimentos?

2 ¿En qué se parece la lechuza al murciélago?

3 ¿Conoces otros animales nocturnos?

4 ¿Puedes describir a los animales de este cuento

5 ¿En qué cuento hay animales que duermen de noche?

Escribe sobre un animal nocturno

Dibuja un animal y escribe una oración debajo.

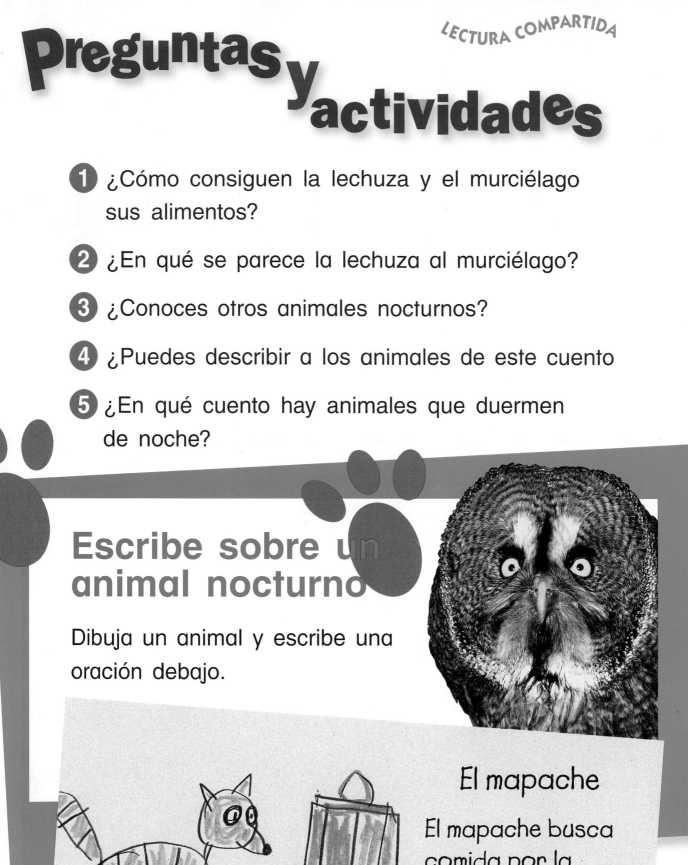

El mapache

El mapache busca comida por la noche. A veces, la busca en las bolsas de basura.

132

Acertijo

Tengo alas y puedo volar.

Soy mamífero. No soy ave.

¿Qué soy? ¿Puedes adivinar?

Investiga

Investiga la vida de un animal nocturno
que te interese. Averigua dónde vive y
qué come.

Diccionario

Los diccionarios nos dan el significado de las palabras.

murciélago: Un **murciélago** es un mamífero pequeño que duerme durante el día y vuela por la noche.

lechuza: Una **lechuza** es un pájaro que vuela y caza de noche.

serpiente: Una **serpiente** es un animal largo y delgado con escamas que no tiene patas.

Lee las palabras de este diccionario

1 ¿Qué palabra encontrarías primero en un diccionario, lechuza o serpiente?

2 ¿Cuál de los animales anteriores no puede volar?

Escucha al agua

Hace muchos años una lechuza vivía en un árbol.

Era una lechuza vieja y sabia.

Había vivido más de mil años.

Desde muy cerca y desde muy lejos

venían otros animales con sus preguntas.

—Miren los árboles —les decía a

los animales—. Miren cómo se mueven.

—Escuchen al río —les decía—.

Escuchen cómo corre sobre las

piedras. Los animales prestaban

atención a sus palabras y miraban los

árboles. Escuchaban al agua.

Encontraban respuestas a sus preguntas.

¡Qué lechuza tan sabia era!

> Piensa en el cuento mientras lo lees.

¿Cómo sabes que este cuento es
una fantasía?

○ Las lechuzas no hablan.

○ El agua no corre sobre las piedras.

135

El bandolero

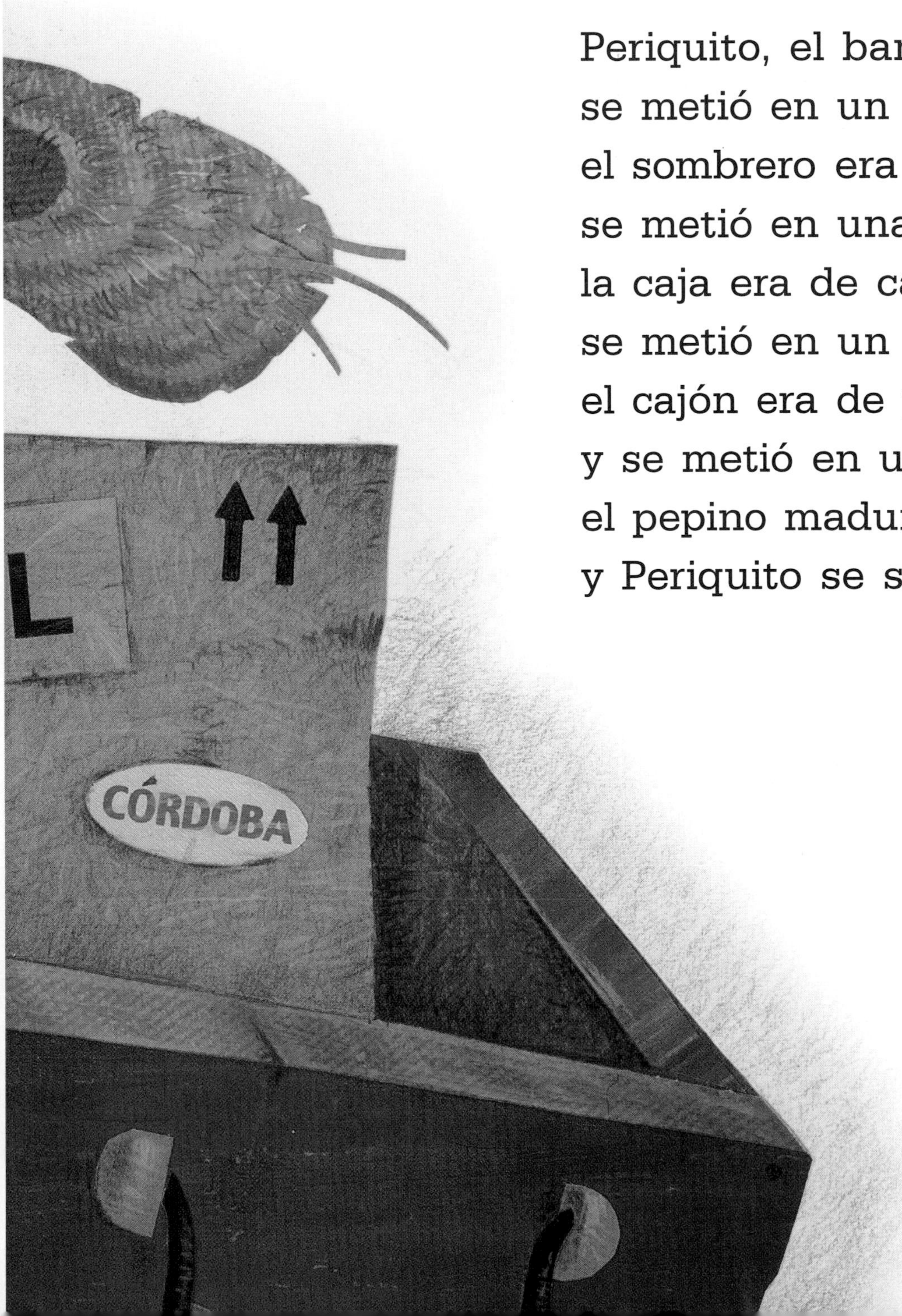

Periquito, el bandolero,
se metió en un sombrero,
el sombrero era de paja,
se metió en una caja,
la caja era de cartón,
se metió en un cajón,
el cajón era de pino
y se metió en un pepino,
el pepino maduró
y Periquito se salvó.

Tradicional

138

¡Adelante!

COPLA CARIÑOSA

Las palomitas del campo
nacieron para volar.
Mi corazón nació libre
y alegre para bailar.

María Elena Walsh

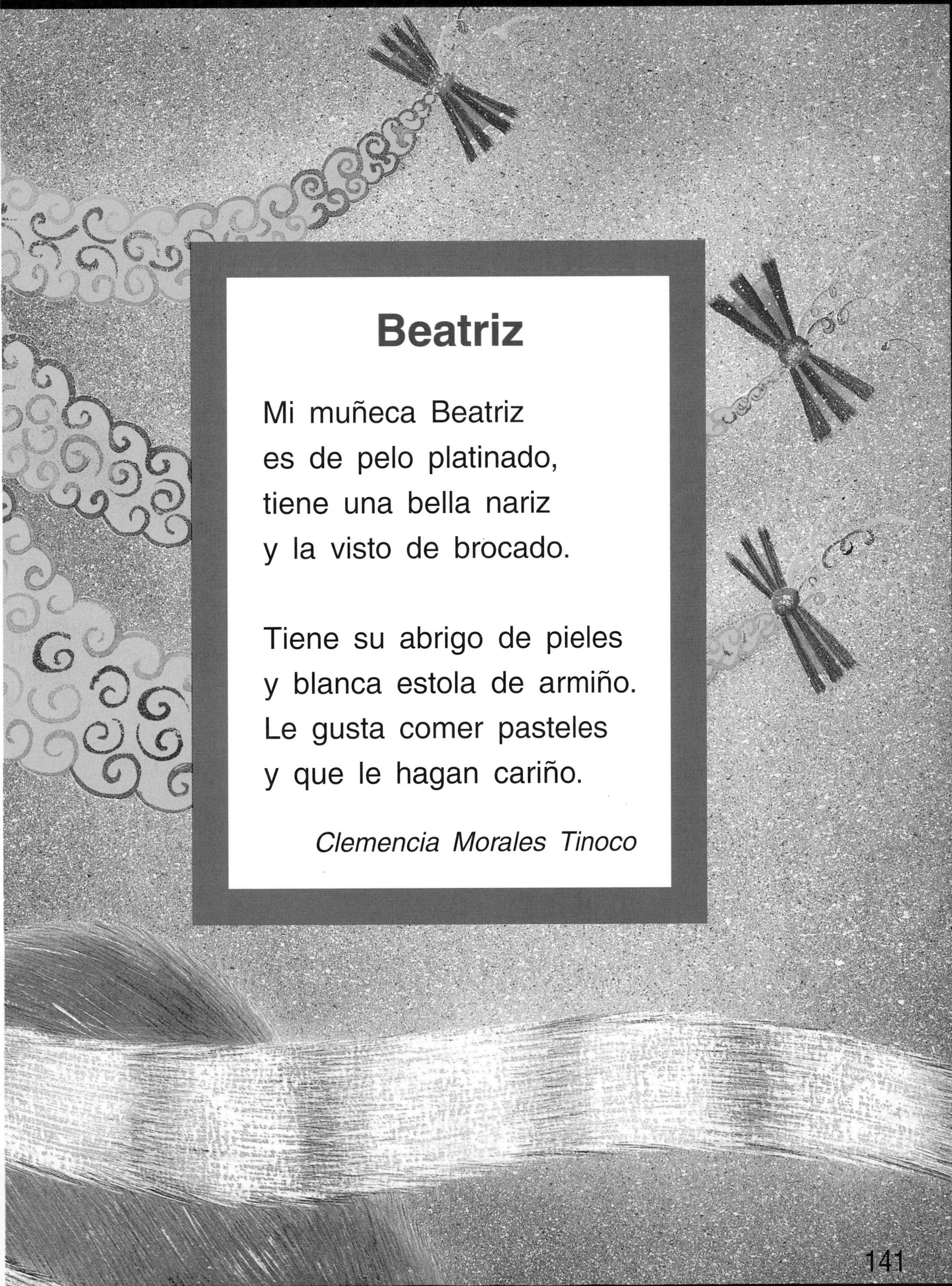

Beatriz

Mi muñeca Beatriz
es de pelo platinado,
tiene una bella nariz
y la visto de brocado.

Tiene su abrigo de pieles
y blanca estola de armiño.
Le gusta comer pasteles
y que le hagan cariño.

Clemencia Morales Tinoco

Conozcamos a Gilda Rincón

A Gilda le gusta mucho la poesía y le encanta llevar a los niños con sus historias a lugares encantados. En este cuento, la autora nos enseña que la infantina es una niña como las demás.

Conozcamos a Claudia Legnazzi

Claudia es muy hábil para ilustrar libros de cuentos para niños. Con sus dibujos nos transporta al mundo de la fantasía.

La infantina está enfadada

Gilda Rincón

ilustraciones de **Claudia Legnazzi**

ESTÁ SENTADA LA INFANTA EN UN LABRADO ESCABEL,

LA REINA EN SILLA DE PLATA

Y EN SILLA DE ORO EL REY.

LA INFANTINA ESTÁ ENFADADA,

NO SE LO QUIERE COMER.

YA NO QUIERE
MÁS PASTELES,
QUE SE LLEVEN
EL TURRÓN,

BRINCAR

EN EL

CORREDOR.

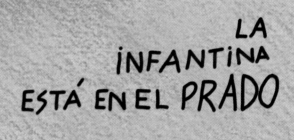

LA
INFANTINA
ESTÁ EN EL PRADO

Y LA REINA EN UN BALCÓN

Y EL REY, EN SU TRONO DE ORO,
DORMITANDO EN EL SALÓN.

QUE SE
LLEVEN
LOS
JUGUETES
DE
BROCADO
Y DE
CRISTAL,

UN COLUMPIO
EN UNA RAMA

DONDE CANTE EL RUISEÑOR

Y JUGAR TODOS LOS DÍAS

CON LOS HIJOS DEL BUFÓN.

Preguntas y actividades

1 ¿Por qué está enfadada la infantina?

2 ¿Qué le gustaría a la infantina?

3 ¿Te gusta jugar con otros niños?

4 ¿De qué trata este cuento?

5 ¿Se parece la infantina a la niña de *El gato de las mil narices*?

Escribe una nota

Imagina que eres la infantina y te escapas una tarde para jugar con los hijos del bufón. Escribe la nota que dejas a tus papás. Diles adónde vas y por qué. Avísales también a qué hora vas a volver.

Queridos padres:
No se preocupen. He salido a jugar con los hijos del bufón. Quiero divertirme un poco. En el castillo todo es muy serio y aburrido. No se enojen conmigo. Volveré antes de que anochezca. Muchos besos,
Su hija

Haz un cartel de película

Van a filmar este cuento y tú tienes que hacer el cartel. No te olvides de poner el nombre y de elegir un dibujo que represente el cuento.

Investiga

Algunos castillos fueron transportados piedra por piedra de Inglaterra a EE.UU. y los volvieron a construir aquí. Averigua cómo lo hicieron y por qué.

Computadoras de la biblioteca

Buscar por:

1. título

2. autor

3. tema

Para saber si en una biblioteca hay un libro y dónde está, se puede usar una computadora.

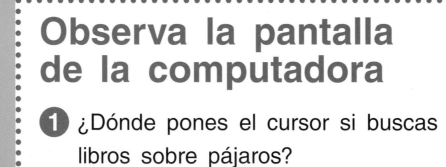

Observa la pantalla de la computadora

1 ¿Dónde pones el cursor si buscas libros sobre pájaros?

2 ¿Y dónde lo pones si buscas "La infantina está enfadada"?

¿Dónde está la ropa?

Hace mucho tiempo había un pajarito violeta.

Le gustaba mezclar la ropa de la gente.

Sacaba la ropa tendida de una cuerda.

Y la ponía en otra.

¿Por qué es este cuento una fantasía?

Una noche, una niña trató de atraparlo.

Se escondió en el cesto de la ropa.

El pajarito voló hacia una cuerda.

La niña salió de un salto del cesto

y envolvió al pajarito en una gran red.

El pajarito asustado le pidió disculpas.

La niña le creyó y lo dejó en libertad.

Desde entonces la ropa del pueblo no se mueve

de su lugar.

Sabemos que este cuento es una fantasía porque —

○ la gente no lava la ropa.

○ los pájaros no mueven ropa.

Mi flor

¡Linda plantita!
tan chiquitita,
pronto, muy pronto
va a florecer
y en la ventana
de mi casita
la linda planta
tendrá una flor.

Matilde Montoya

Conozcamos a Marcia De Vere

Marcia sabe despertar la imaginación. "El baúl mágico" es un homenaje a la imaginación que tienen los niños al jugar. Lo que ella nos quiere decir es que la magia está en la ilusión de compartir.

Conozcamos a las ilustradoras

Claudia Camarena y Bertha González de García ilustraron este cuento con fotografías de muñequitos modelados a mano.

El Baúl Mágico

Marcia De Vere

Siempre que invito a una amiguita a jugar,

corremos felices al baúl de mamá.

Digo que es mágico porque adentro hay
muchas cosas con las que podemos jugar.

Lo primero que nos gusta sacar son los
vestidos largos que ella usó años atrás.

Imaginamos ser princesas
de un castillo junto al mar

y que con un príncipe toda la noche
vamos a bailar.

Después a la comadrita voy a visitar.

Adornadas con bolsas y sombreros nos
ponemos a platicar.

En el fondo hay una caja, es un gran tesoro
con collares, pulseras y monedas de oro...

...que enterraron los piratas para que los
buscara con un mapa.

Pero lo que más me gusta
son los zapatos de tacón,

porque con ellos me siento artista y que
trabajo en un teatro de revista.

¡Qué bonito es el baúl de mamá!

¡Cuántas cosas lindas se pueden encontrar!

Lo malo es que cuando mi amiguita se va...

...todo lo que sacamos tengo que guardar.

Preguntas y actividades

1 ¿Por qué les gusta a las chicas jugar con el baúl?

2 ¿Podría ser este cuento una historia real?

3 ¿Tienes un baúl parecido en tu casa?

4 ¿Recuerdas qué hay en el baúl de este cuento?

5 ¿Encuentras alguna diferencia entre las ilustraciones de este cuento y las del cuento anterior?

Escribe una invitación

Quieres invitar a un amigo a jugar en tu casa. Escribe la invitación. Dile qué día, a qué hora y a qué pueden jugar.

Hola Marta:

¿Te gustaría venir a jugar a mi casa el sábado después de almorzar? Mis papás se van al cine. En casa, estaremos tú, yo, mi hermano mayor y Popi. Podemos pintarnos las caras o jugar con Popi, o lo que tú quieras. Por favor, no me digas que no.

Marta

Tú   Yo   Popi

Haz una colcha de la amistad

Recorta una cartulina en cuadrados de 6" por 6". Haz agujeritos alrededor de cada recuadro. Da los recuadros a tus amigos y pídeles que dibujen un autorretrato. Pide a un adulto que una los recuadros pasando un cordel por los agujeritos.

Investiga

Pregunta a un adulto a qué jugaba cuando era pequeño. Juega a uno de esos juegos.

187

La biblioteca

En la biblioteca te pueden prestar libros y cintas magnetofónicas, pero debes devolverlos puntualmente.

Observa el diagrama

1 ¿Dónde irías para devolver un libro?

2 Si necesitaras ayuda, ¿a quién se la pedirías?

Recogiendo hojas

Pronto viene el invierno.

Los árboles están perdiendo sus hojas.

Aterrizan en el jardín.

Tendremos que rastrillarlas.

Podemos hacer una pila de hojas.

Vamos a saltar sobre la pila.

Pronto llegará la nieve.

Cubrirá la pila de hojas.

Cubrirá todo el jardín.

Haremos una pila con una pala.

Vamos a saltar sobre esa pila.

Un HECHO es algo que es verdad.

¿Cuál es un HECHO en este cuento?

○ Las hojas se están cayendo.

○ Pronto llega el verano.

El grillito negro

El grillito negro
desea cantar
con su voz de hilo
y de cristal.
Canta con él,
ayúdale a cantar,
porque si no canta,
el grillito negro
se pondrá a llorar.

María Hortensia Lacau

Conozcamos a Gloria Fuertes

Gloria Fuertes es una autora española muy conocida. Sus cuentos son muy divertidos. Si te gustó este cuento, puedes leer *El dragón tragón*.

Conozcamos a Luisa D'Augusta

A Luisa le gustaba hacer dibujos de su familia y de sus amigos desde que era pequeña. Ahora ilustra muchos libros de cuentos para niños.

192

VIVIR EN GLOBO

Gloria Fuertes
ilustraciones de
Luisa D'Augusta

Don Calixto
era muy listo.
Don Calixto el inventor
era muy sabio señor.

No estudió arquitectura,
pero tenía cultura.

195

Don Calixto, el listo,
inventó lo más moderno,
¡las casas globo!

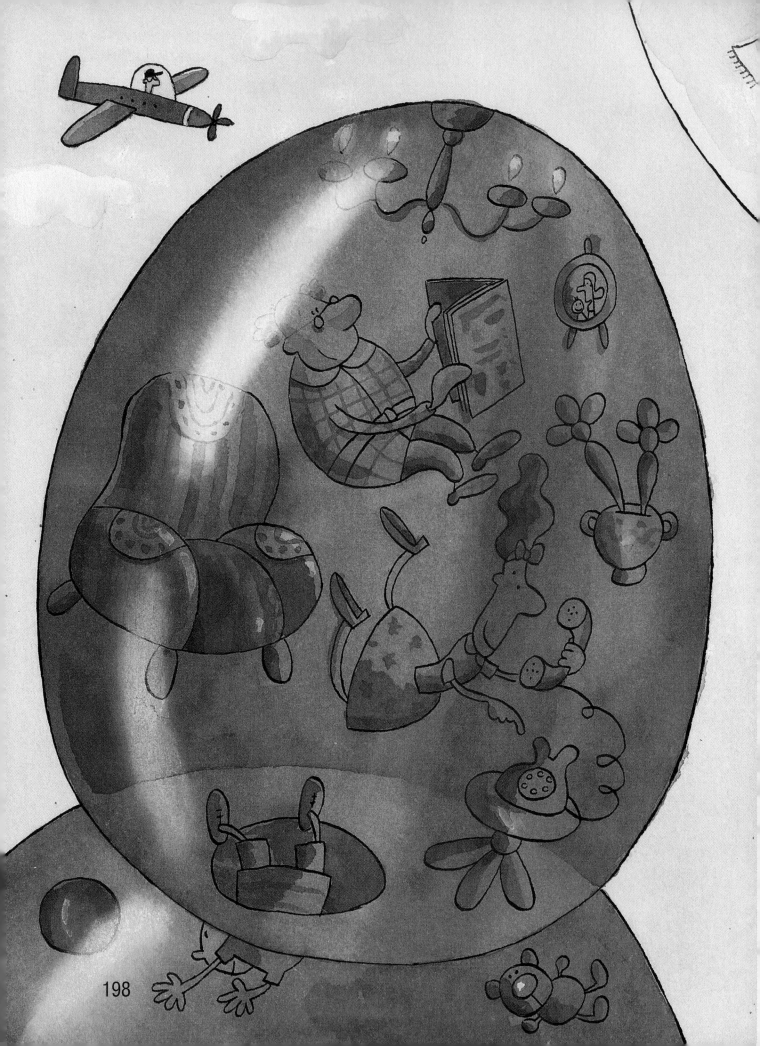

Sin ladrillos, ni hierros,
sin tejados, ni escaleras...

con las puertas pequeñitas
—que se cerraban rápidamente solas
para que no se saliera mucho aire.

PUERTA AUTOMÁTICA

El pueblo era digno de verse. Era un montón de grandes globos de colores. Las familias se compraban el globo, soplaban, ¡y ya estaba la casa!

Los niños del barrio del Globo eran felices.
Vivían en un globo, iban al colegio en globo,
el colegio era un globo, la maestra era un globo,
el cine era un globo, el supermercado era un
globo.

Los niños sólo cantaban la canción de los globos: Un globo, dos globos, tres globos. La luna es un globo que se me escapó.

Un globo, dos globos, tres globos.
La tierra es un globo donde vivo yo.

209

Un globo, dos globos, tres globos,
mi casa es un globo grande de color.

Preguntas y actividades

1 ¿Quién es el inventor de la Ciudad Globo?

2 ¿Cómo es la Ciudad Globo?

3 ¿Te gustaría vivir en una Ciudad Globo?

4 ¿Puedes contar este cuento con tus propias palabras?

5 ¿Qué diferencia hay entre las casas globo y el castillo de la infantina?

Escribe un anuncio

Imagina que la Ciudad Globo existe. Escribe un anuncio para que la gente vaya a vivir allí. Describe la ciudad y sus ventajas.

VENGAN A LA CIUDAD GLOBO

hola

¿Te imaginas cómo sería vivir en una ciudad sin edificios? ¿Sin escaleras? Ven a la Ciudad Globo, una ciudad donde todo está en globos.

En la Ciudad Globo, no necesitas autobuses ni coches. Puedes moverte de un lado a otro en tu propia casa. ¡Y atención! No hay problemas de tráfico. El cielo es tan grande que hay sitio para todos.

No tardes. Las casas globo se están agotando.

Construye un globo

Necesitas hilo, un globo grande y una caja de cerillas rectangular. Vacía la caja de cerillas y quédate sólo con la parte de dentro. Infla el globo. Corta un hilo de cuatro pies de largo. Átalo al globo en el medio y pega un cabo a un lado y el otro al otro lado de la caja.

Investiga

Averigua el nombre y el uso de otros medios de transporte aéreo.

Glosario

Un glosario nos da el significado de las palabras.

Las palabras de un glosario se encuentran en orden alfabético.

arquitectura La arquitectura es el arte de construir edificios.

digno Algo es digno de verse, cuando vale la pena verlo.

ladrillo El ladrillo es una pieza rectangular de barro que se usa en construcción.

Observa el glosario

1 ¿Qué palabras están relacionadas con la construcción de casas?

2 ¿Qué es un ladrillo?

¿Quién es Glotón?

Glotón es un tonto caracol

de morado caparazón.

Deja huellas pegajosas

cuando se arrastra por las baldosas.

Glotón es un tonto caracol

que se arrastra de acá para allá.

Pasa sus días al sol

sin ninguna preocupación.

¿Qué oración resume mejor este cuento?

○ Glotón pasa el día al sol.

○ Glotón come plantas todo el día.

Un resumen cuenta el cuento en una oración.

Canciones del regalo

A la niña mía
yo le regalo
un hada madrina
que le bese la frente
con amor,
y le enseñe a querer
para siempre,
a la estrella y la flor.

María Hortensia Lacau

Conozcamos a
Aída E. Marcuse

Aída ha publicado muchos cuentos en inglés y en español. Si te gustó *Caperucita Roja y la luna de papel*, lee *Prudencio, el prudente*, y *Doña Pata y Don Canguro*.

Conozcamos a
Pablo Torrecilla

Pablo disfrutó mucho ilustrando este libro. Seguramente pensaba en niños como tú.

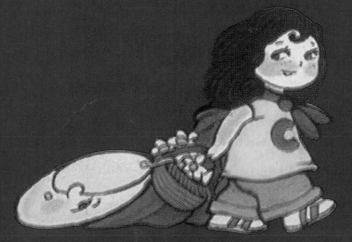

Caperucita Roja y la Luna de Papel

Aída E. Marcuse
Ilustraciones de Pablo Torrecilla

Personajes:

Mamá
como la mamá de todos

Caperucita
pícara y alegre

Oso
marrón y bonachón

Lobo
flaco y gruñón

Abuelita
golosa y chaparrita

Escenario:

Un bosque
frondoso y precioso

La casa de Caperucita
de piedra y bonita

La casa de la abuelita
coqueta y chiquita

221

Primer acto

Caperucita:
(canturrea)

Juguemos en el bosque
mientras el lobo no está...

Mamá:
(abre la puerta y llama)

¡Caperucita, a casa!
¡Es hora de merendar!

¡Qué sucia estás!
¡Primero, vete a bañar!

Mamá: Está enferma tu abuelita.
Llévale estas margaritas,
un buen pastel de manzanas
y un puñado de avellanas.

Caperucita: ¡Qué calor hace!
No aguanto mi capa de lana.

Caperucita: Oigo pasos.
¡Oh! ¿Qué hace el oso despierto
a mediodía?

Oso: Caperucita, ¡qué alegría!
¿Qué haces en el bosque tan de
mañana?

Caperucita: Voy a visitar a mi abuelita enferma.

Oso: ¡Oh! ¡Ten mucho cuidado!
¡El lobo por aquí ha pasado!

Caperucita: ¡Gracias! ¿Quieres un poco de miel?

Oso: ¡Mmmm, qué rica!
Ten mi luna de papel.
Cuélgala del cielo si me necesitas.

Caperucita: Muchas gracias, Oso.

Sé que esta luna es tu favorita.

Caperucita: Juguemos en el bosque,
ahora que el lobo no está...

Lobo: ¡Grrau! ¡Grrrooo! ¡Aquí estoy!
¡Y aquí te como hoy!

Caperucita: Eso es lo que tú crees, pero espera: primero te juego una carrera.

Lobo: ¿Una carrera? Bueno, me abrirá el apetito, y no me importa esperar por tal bocadito...

*(El lobo corre detrás de Caperucita,
pero no la atrapa.)*

Caperucita: No me asustas con tus tretas
ni aunque des tres vueltas completas.

Lobo: Tu abuelita... ¿ya no corre tanto?

Caperucita: No, está en cama y tose de vez en
cuando. Le llevo flores y un pastel,
y esta luna de papel.

Lobo: No puedo dejarte ir solita.
Te acompañaré, Caperucita.

(y agrega para sí:)

Ñam, ñam... a esta niña tan rica la como yo.

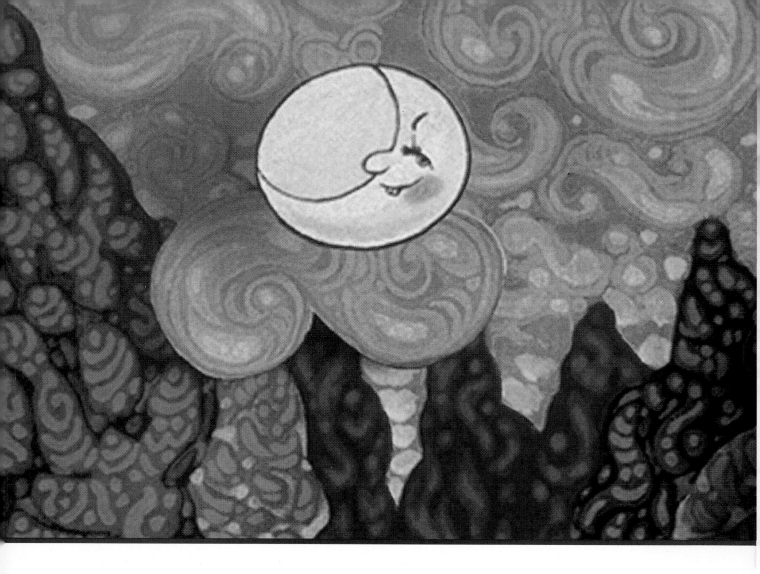

Caperucita: Juguemos en el bosque hasta que la noche crezca.

¡Bosque, haz que la luna aparezca!

(Aparece la luna de papel y se coloca en medio del cielo.)

(*Llega el oso y ve la luna de papel.*)

Oso: ¡Mi luna! ¡Caperucita está en apuros!
¡El lobo la atrapará, estoy seguro!

Fin del primer acto.

Segundo acto

Caperucita: ¡Abuelita, abuelita!
¡Venimos a hacerte una visita!

(Abre la puerta, que está sin llave, y entran.)

Lobo: Me muero de hambre, y están desprevenidas...
(dice para sí:)
¿Por dónde empezaré mi comida?
¿Mi primer plato será la abuelita?

Caperucita: Mamá te envía estos regalos
y sus buenos deseos...

Abuelita: Ahora que miro, niña, veo
que viniste con alguien bastante feo...
Pero si ese lobo vino contigo,
¡por supuesto, será mi amigo!

Lobo: *(agarrándose la panza con las dos manos:)*

¡Ay, cuánta hambre tengo... tanta, tanta... si supieran cómo la panza me canta...!

Abuelita: Tengo hambre. Comí hace una hora y un ratito.

Caperucita: ¿Quieres un poco de jamón?

(La abuelita come todo lo que está a la vista, rápidamente)

Abuelita: Caperucita, aún tengo hambre. En el refrigerador hay un rico matambre...

(El lobo llega allí antes que ella y se mete todo en la boca.)

Abuelita: ¡Ah! ¡Uh! ¡Oh! ¡Bribón!
¡Qué grosero! ¡Se comió hasta el lechón!

(El oso entra y agarra una escoba.)

Oso: ¡Tomo, toma, toma, grandulón!

Lobo: ¡Ah! ¡Uy! ¡Ay!

Caperucita: Gracias, Oso, por tu ayuda.

Oso: Guarda mi luna, y llámame sin ninguna duda.

Caperucita: Juguemos en el bosque
ahora que el lobo no está.
Lobo, ¿qué haces solo en el bosque?
¡Vuelve, vamos a jugar!

Lobo: ¡Grrr... no vuelvo y no volveré
por muchas buenas razones!

Escondido aquí estaré,
¡curándome los moretones!

Preguntas y actividades

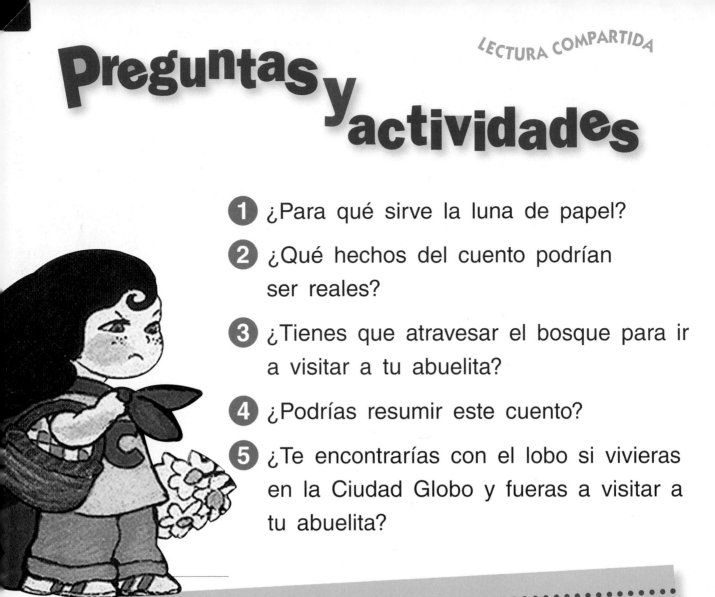

1 ¿Para qué sirve la luna de papel?

2 ¿Qué hechos del cuento podrían ser reales?

3 ¿Tienes que atravesar el bosque para ir a visitar a tu abuelita?

4 ¿Podrías resumir este cuento?

5 ¿Te encontrarías con el lobo si vivieras en la Ciudad Globo y fueras a visitar a tu abuelita?

Escribe un aviso

El oso del cuento no quiere que ninguna otra niña tenga problemas con el lobo. Escribe un aviso para colgarlo a la entrada del bosque.

ATENCIÓN NIÑAS:
PELIGRO

1 En el bosque hay un lobo comilón.

2 No crucen solas el bosque. Es peligroso.

3 Si nadie las puede acompañar, lancen al cielo la luna de papel que está al pie del árbol. Espérenme. Yo las acompañaré.
El oso

Representa una escena

Tú vas a ser Caperucita. Pide a un compañero que sea el lobo. Representa la escena en la que el lobo y Caperucita se encuentran en el bosque.

Caperucita, ¡qué alegría! ¿Qué haces en el bosque tan de mañana?

Voy a visitar a mi abuelita enferma.

Investiga

¿Sabes en qué año pisó el hombre la luna por primera vez? Pídele a un adulto que te cuente lo que recuerda de ese día.

Sala de lectura

La gente lee toda clase de libros en la biblioteca. Además, lee revistas y escucha cuentos en grabaciones magnetofónicas.

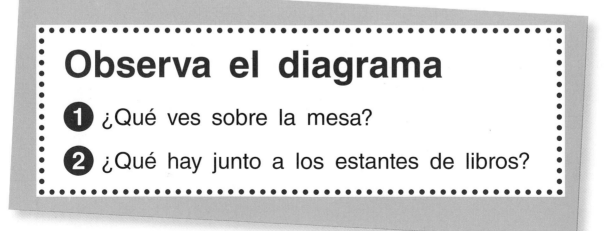

Observa el diagrama

1 ¿Qué ves sobre la mesa?

2 ¿Qué hay junto a los estantes de libros?

El pastel de Bob

El cocinero Bob está haciendo un pastel.
Primero lee su libro de recetas.
Luego mezcla los ingredientes.
Ahora pone el pastel en el horno.

¿Por qué es una fantasía este cuento?

Bob saca el pastel del horno.
Está caliente. Lo pone sobre
la mesa para que se enfríe.
Después de unas horas,
Bob va a comer un pedazo
de su pastel.
De pronto, el pastel salta del plato.
—Perdón, Bob —dice el pastel.
—Todavía no estoy listo para que me coman.

Sabemos que este cuento es una fantasía porque —
○ los pasteles no hablan.
○ no hay ningún cocinero que se llame Bob.

Concurso

Preparan las flores,
los globos, las risas,
gran premio lo gana
el canto y la alegría.

A prisa, a prisa,
pregona la brisa,
hay premio brillante
a la planta más grande.

Francisco, el florero,
se pone un sombrero
y va con sus flores,
frascos y colores.

Gloria tan graciosa
con su blusa blanca
trae sus glicinias
y prolijas plantas.

Clara Bitman

249

TIME
FOR KIDS

¡Nos vamos!

COVER: ADAM SMITH/FPG. WOMAN: KEN CAVANAGH; INSET LEFT TO RIGHT: SUSAN VAN ETTEN/STOCK BOSTON; DAVID BALL/THE STOCK MARKET MARK BURNETT/STOCK BOSTON; MARK BURNETT/THE STOCK MARKET

¡Piensa un poco!
Tienes diez bolsas del
supermercado.
¿Cómo las llevarías a
casa? ¿Irías a pie?
¿Irías en auto, en
autobús o en tren?

Para ir de un lugar a otro se pueden usar muchos
medios. Se llaman medios de transporte. Hay tres
clases. Puedes viajar por tierra, por agua o por aire.
Ahora vamos a ver cada clase.

251

Por tierra

Mucho antes de que hubiera autos, era necesario llevar cosas de un lado a otro. Para eso se usaban caballos.

Hoy puedes ir de un lado a otro en auto, autobús o tren. Hay un tren que anda debajo de la tierra. Se llama subterráneo. Con el subterráneo se puede ir muy rápido. Es muy útil si tienes prisa.

También los camiones sirven para transportar cosas por tierrra. Hay muchos camiones en los caminos. Hay pequeñas camionetas y camiones grandes con muchas ruedas. ¿Cuántos camiones has visto hoy?

INVESTIGA

Visita nuestra página web:

www.mhschool.com/

CONEXIÓN

*inter***NET**

Basado en un artículo de TIME FOR KIDS.

Por agua

Los barcos y los botes sirven para transportar a las personas y las cosas por el agua. Muchas ciudades tienen grandes puertos. En los puertos se ponen y se sacan cosas de los barcos. ¿Has viajado alguna vez en barco?

Por aire

Los aviones transportan muy rápido a las personas y las cosas. ¡Puedes atravesar el país en menos de cinco horas! ¿Sabes cuánto tiempo tardarías en auto?

Con los medios de transporte podemos ir de un lado a otro. ¿Cuál es tu medio de transporte favorito?

1. ¿Qué quiere decir *medios de transporte*?

2. ¿Tienen ruedas los barcos?

3. ¿Qué medios de transporte con ruedas conoces?

4. ¿De qué trata este artículo?

5. ¿En qué va la gente de "Vivir en globo" de un lugar a otro?

Escribe la dirección

Para enviar un paquete a un amigo, escribe su dirección en el centro del paquete y la tuya en la esquina superior de la izquierda.

Dibuja un laberinto

Escribe **partida** en el extremo de una hoja y dibuja al lado un tren, coche, autobús o avión. En el extremo opuesto, escribe **llegada**. Traza varias rutas para llegar. Dile a un compañero que vaya de la **partida** a la **llegada**.

ZOO

Partida

Llegada

Investiga

Busca información sobre los helicópteros.
¿Qué utilidad podrían tener para ti?

Consulta el diccionario

Hay muchas formas de obtener información.

libro

diccionario

cinta

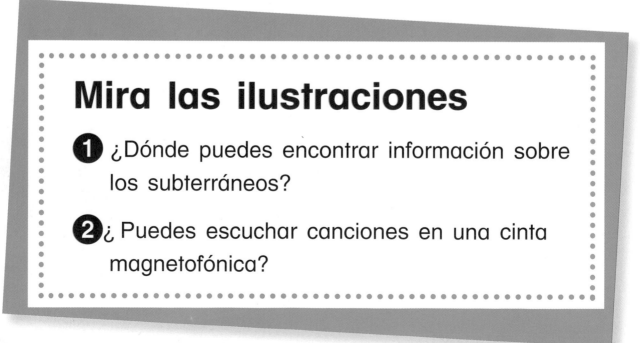

Mira las ilustraciones

1 ¿Dónde puedes encontrar información sobre los subterráneos?

2 ¿Puedes escuchar canciones en una cinta magnetofónica?

Transporte: Cómo vamos de un lugar a otro

Hay diferentes maneras de llegar a un lugar.

Puedes caminar o ir en bicicleta si el viaje es corto.

Puedes ir en carro si el viaje es largo.

Es fácil tomar un tren.

También es fácil tomar un avión.

Los aviones pueden cruzar mares y océanos.

Los trenes no.

Los aviones van más rápido que los trenes.

¿Cómo vas tú de un lugar a otro?

Con diferentes clases de transporte —

○ se pueden hacer viajes diferentes.

○ es difícil ir de un lugar a otro.

Sólo hay una respuesta correcta.

¡Pin, pon, fuera!

Pío, pío, pajarito,
¿adónde vas tan coquetón?
—A la sala de la espera.
—Pin, pon, fuera.

Tradicional

Glosario

Este glosario te ayudará a encontrar el significado de algunas de las palabras de este libro que quizás no conozcas.

Las palabras están en orden alfabético y van acompañadas de una oración simple. A veces también van acompañadas de una ilustración que te ayudará a entender el significado.

Ejemplo de entrada

Letra   **Entrada**   **Oración de muestra**

Ss

sombrero

El **sombrero** protege de los rayos del sol.

Ejemplo de ilustración

Aa

apetito

Cuando no se tiene **apetito,** no se tiene ganas de comer.

ardilla

A las **ardillas** les encantan las nueces.

autobús

En el **autobús** se viaja cómodamente.

avellana

La **avellana** es un fruto de cáscara dura.

avión

El **avión** despega del aeropuerto.

Bb

baúl

En un **baúl** se pueden guardar muchas cosas.

bigotes

Los **bigotes** crecen sobre el labio superior.

brocado

El **brocado** es una tela con dibujos que parecen bordados con hilos de oro y plata.

bufón

El **bufón** hacía reír a los reyes.

263

Cc

capa

Hace muchos años los hombres usaban **capas** para abrigarse.

castillo

La princesa se aburría en su hermoso **castillo.**

cazuela

La **cazuela** sirve para cocinar. La cazuela también es el nombre de un guisado de carne y legumbres.

cebolla

Elisa llora cuando pica **cebolla.**

cielo

El **cielo** se cubre de estrellas por la noche.

columpio

A Polita le encanta jugar en el **columpio.**

escabel

El **escabel** sirve para apoyar los pies.

flechas

Antes se usaban arcos y **flechas**

para cazar.

265

Gg

grillos

Me gusta escuchar el canto de los **grillos** en verano.

gusanos

Los **gusanos** se comen la fruta madura.

Hh

humo

El **humo** sale de la casa incendiada.

Ll

ladrillos

Los **ladrillos** sirven para construir casas.

lechuza

La **lechuza** ve bien de noche.

Mm

maromas

Las **maromas** también se llaman volteretas o piruetas.

murciélago

El **murciélago** es un animal nocturno.

Oo

océano

Las ballenas viven en el **océano.**

olla

El ratón Pérez se cayó a la **olla.**

Pp

papel

Las hojas de un libro son de **papel**.

pastel

Yo quiero un **pastel** de chocolate para mi cumpleaños.

perro

El **perro** está dormido.

pico

Las aves tienen **pico** y los perros tienen hocico.

piratas

Los **piratas** atacan a los barcos para robar.

prado

El **prado** se llena de flores en verano.

pulgas

Las **pulgas** son insectos que pican a los perros y también a la gente.

Rr

ratón

Al **ratón** le gusta comer queso.

refrigerador

Los alimentos se conservan frescos en el **refrigerador.**

rodillo

El panadero estira la masa con el **rodillo.**

ruedas

La bicicleta tiene dos **ruedas.**

ruiseñor

El **ruiseñor** canta muy lindo.

sombrero

El **sombrero** protege de los rayos del sol.

270

subterráneo

El tren **subterráneo** generalmente va por debajo de las calles.

tejado

A los gatos les gusta andar por el **tejado** de las casas.

trenes

Los **trenes** transportan a mucha gente.

turrón

El **turrón** es un dulce de miel, clara de huevo y almendras.

ACKNOWLEDGMENTS

The publisher gratefully acknowledges permission to reprint the following copyrighted material:

"Relajo en la cocina" by Adelita. Copyright © by Consejo Nacional de Fomento Educativo. Used by permission of the publisher.

"Cielo con lágrimas" from EL PAÍS DE SILVIA by María Hortensia Lacau. Copyright © 1985 by Editorial Plus Ultra. Used by permission of the publisher.

"Pulgas el perro de José Luis" by Margarita Robleda Moguel. Illustrated by Maribel Suárez. Copyright © 1990 by SITESA, S.A. de C.V. Used by permission of the publisher.

"Jugando con la geometría" by Margarita Robleda Moguel. Illustrated by Maribel Suárez. Copyright © 1990 by SITESA, S.A. de C.V. Used by permission of the publisher.

"El día" from El AVIÓN DE PAPEL by Oscar Alfaro. Copyright © Oscar Alfaro. Used by permission of Secretaría Nacional de Educación de Bolivia. Used by permission of the publieher. .

"Beatriz" from JUGANDO Y CANTANDO by Clemencia Morales Tinoco. Copyright © by Editorial José Pineda Ibarra. Used by permission of the publisher.

"La infantina está enfadada" by Gilda Rincón. Illustrated by Claudia Legnazzi. Copyright © 1998 by Universidad Nacional Autónoma de México. Used by permission of the publisher.

"Mi flor" by Matilde Montoya from POEMAS ESCOGIDOS PARA NIÑOS. Copyright © 1987 by Editorial Piedra Santa. Used by permission of the publisher.

"El baúl mágico" by Marcia de Vere. Copyright © 1998 by Editorial Conexión Gráfica. Used by permission of the publisher.

"El grillito negro" from EL PAÍS DE SILVIA by María Hortensia Lacau. Copyright © 1985 by Editorial Plus Ultra. Used by permission of the publisher.

"Canciones del regalo" from EL PAÍS DE SILVIA by María Hortensia Lacau. Copyright © 1985 by Editorial Plus Ultra. Used by permission of the publisher.

"Caperucita Roja y la luna de papel" by Aída Marcuse. Copyright © by Aída Marcuse and Laredo Publishing. Used by permission of the author and the publisher.

Cover Illustration
Christine Mau

Illustration
Tim Raglin, 8; Peter Fasolino, 10-11; Ruth A. Rodríguez, 12-42 top; Daniel Del Valle, 42 bottom, 43, 66 bottom, 67 right, 94 bottom, 95, 122 bottom, 123, 124, 132, 133; Bernard Adnet, 45; Michael Grejniec, 46-47; Patrick Girouard, 48-66 top, 68; Pat Hutchins, 67 left; Eldon Doty, 69, 97, 135; Laura Blanken, 70-71; Maribel, Suárez, 72-94 top, 100-122 top; Dave Cottone, 98-99; Ken Bowser, 125; Fabricio Vanden Broeck, 126-127; Mircea Catusanu, 136-137;

Photography
Unit 1 127:t. Renne Lynn/Photo Researchers, Inc.
Unit 2 140: Frans Lanting/Minden Pictures 141: Mickey Gibson/Animals Animals 142:b. Steve lawrence/The Stock Market 145:t. Staffan Widtrand/The Wildlife Collection
Unit 3 131:b. David Young-Wolfe/PhotoEdit 134:t. Nigel Cattlin/Holt Studios International/Photo Researchers, Inc. 134:b. D. Cavagnaro/DRK Photo 135: Ron Chapple/FPG International 136: Luiz C. Marigo/Peter Arnold, Inc.
Unit 4 134:t. J. Barry O'Rourke/The Stock Market 138:t. Richard Laird/FPG International 138:b. PictureQuest 139:t. Alan Epstein/FPG International

029 b Ken Karp for MHSD; 031 t David Mager for MHSD; 043 tr MHSD; 043 br Scott Harvey for MHSD; 043 bl Scott Harvey for MHSD; 055 b Johnny Johnson/DRK Photos; 056 tr Johnny Johnson/DRK Photos; 059 b Thomas Kitchin/Tom Stack and Assoc. 061 t MHSD; 061 b Visuals Unlimited; 067 br MHSD; 081 b Mark E. Gibson Photography; 087 b Gary R. Zahm/Bruce Coleman, Inc.;

087 t David Mager for MHSD; 110 t George D. Dodge/Bruce Coleman, Inc.; 122 b Ray Soto/The Stock Market; 123 t Corbis; 124 b E. Nagele/FPG International; 126 b Gail Mooney/Corbis; 128 b Jim Brown/The Stock Market; 129 m David Stoecklein/The Stock Market; 130 b MHSD; 132 t Erwin Bauer;Peggy Bauer/Bruce Coleman/PNI; 133 b George Lepp/Corbisl; 133 b Camping Photo Network/PNI; 133 t Joseph Drivas/Image Bank; 136 top Bokelberg/Image Bank; 137 t Tim Brown/Tony Stone Images; 137 t Steve Prezant/The Stock Market; 139 b Layne Kennedy/Corbis; 142 t The Stock Market; 143 t Kelly-Mooney Photography/Corbis; 145 b Mike Malyszko/Stock Boston; 187 bi MHSD; 187 br MHSD; 260 b George Hall/Check Six; 263 b Jim Witherington; 263 t Derke/OÕHara/Tony Stone Images; 265 b Jay Schlegel/The Stock Market; 266 m Steve Grubman/The Image Bank; 268 b Paul Chesley; 269 t Alan Schein/The Stock Market